Le Guide Bacchus©

Touriscom

Touriscom
est une raison sociale de :
© Formation Blitz Sémiotique Internationale Inc.

Dépôt légal, Bibliothèque Nationale, 2001

ISBN 2-920412-02-7

Dépôt légal - Bibliothèque nationale du Québec, 2001
Dépôt légal - Bibliothèque nationale du Canada, 2001

Distribution :
Prologue
Tél. : (450) 434.0360 / 1.800.363.3864
Téléc. : (450) 434.2627 ou 1.800.361.8088

Toute reproduction, même partielle, par quelque procédé que ce soit, toute utilisation sur ou par le réseau internet, sont formellement interdites, sous peine de poursuite judiciaire.
Toute reproduction des textes et des photographies sont formellement interdites.

© Formation Blitz Sémiotique Internationale Inc. 2001
Courriel (e-mail): info@guidebacchus.com
Site internet (web):www.guidebacchus.com
Adresse postale:
215, rue St-Laurent, bureau 107
St-Eustache, Québec, Canada J7P 4W4
Tél.: (450) 974-0923 Télec.: (450) 472-2595

Errata: Les établissements et vignobles suivants sont dans les Cantons-de-l'Est (mais en général près de la Montérégie): Dessine-moi un mouton p. 163, Les Pignons Verts p. 173; les vignobles: Les Arpents de Neige p. 183, La Bauge p. 181, Domaine des Côtes d'Ardoise p. 164, Domaine de l'Ardennais p. 181, de l'Orpailleur p. 183; les vignobles Les Pervenches p. 183 est à Farnham, et celui de L'Aurore Boréale est dans les Bois-Francs p.182. Bardon Farm p. 157 et la Dame de Coeur p. 163 (menu p. 173-174), n'ont pas de spécialités thaïlandaises. Les pourvoiries Chalet Jean-Paul p. 245, Domaine Lac Castor Blanc p.246 et La Villa Basque p. 251 sont dans l'Outaouais.

3e Édition

Richard de Bessonet

Le Guide Bacchus©

des Restaurants,Tables, Gîtes, Auberges
et autres établissements
(avec les menus)
où l'on peut apporter son vin©

ainsi que les Chemins du terroir incluant
les boulangeries, cidreries, fromageries,
hydromelleries et vignobles

Collaboration à la rédaction
Dominique Tavan

Photographies:
Richard de Bessonet*

Aquarelles:
Louis Bernier

* Autres photos indiquées et/ou page de crédits.

Du même auteur

Tourisme

Livres:
Guide Bacchus des Restaurants et cafés où l'on peut apporter son vin. Éditions Touriscom, 1985, 98 pages.

Guide Bacchus des Restaurants et cafés-(concerts) où l'on peut apporter son vin. Éditions Touriscom, 1982, 64 pages.

Autres documents:
Plus de 60 affiches culturelles entre 1975 et 1992: dont toutes les affiches d'*Émile Nelligan*, (2) affiches de *Félix Leclerc, Beethoven*, Kerouac, Mozart, Vian, etc.

Calendrier-Agenda-Littéraire-16 mois, 1980-1981. Éditions Touriscom/Artcom-Graphik.

Carte touristique de Montréal et Québec 1980, Éditions Touriscom/ Artcom-Graphik.

Calendrier-Agenda 1979. Éditions Touriscom.

Carte touristique de Montréal (4 quartiers). Éditions Touriscom, 1979.

Littérature, art, langues

Le feu en joue. Lafayette, (Louisiane) et Montréal, Éditions de la Nouvelle Acadie-University of Southwestern Louisiana, Centre d'Études louisianaises, et Louise Courteau Éditrice, 1987, 80 pages (épuisé).

Louis Bernier- Peintre aquarelliste. Les Éditions Francophonie / Amérique, Montréal, 1994, 7 pages (épuisé).

En préparation:
Structures des formes verbales du français écrit et parlé (titre provisoire), Les Presses de l'École nouvelle d'études supérieures / Francophonie-Amérique, Mirabel, Québec, printemps 2002, env. 250 pages.

Written and spoken English verbal structures (titre provisoire). Les Presses de l'École nouvelle d'études supérieures / Francophonie-Amérique, Mirabel, Québec, printemps 2002, env. 250 pages.

à Louis Bernier

* Louis Bernier est peintre aquarelliste aux Îles de la Madeleine.

Remerciements

Je tiens à remercier toutes les personnes qui, particulièrement dans les régions, nons ont guidé et aidé afin de rédiger ce volume.

Abitibi: Robert Ataman, Deirdre Bergeron et Ghyslain Trudel. **Cantons-de-l'Est:** Mollie Hébert et Alexandra Glezos. **Côte-Nord:** Michel Fournier. **Gaspésie:** André Lambert. **Iles de la Madeleine:** Brigitte Léger et Micheline Boucher. **Lanaudière et Montérégie:** M. Boullion du Restaurant Piccolo. **Laurentides:** Richard Neveu et Louis Dugas. **Laval:** Robert Robillard. **Montérégie:** Diane Côté. **Montréal:** M. Loiselle du restaurant Le Flambard et Carlos Wong du restaurant La Selva. **Nord du Québec·Baie James:** Robert L'Africain. **Nunavik:** Philippe Sable, Kathy Nolan et Peter Palmer. **Outaouais:** Guy Lapointe. **Saguenay·Lac-St-Jean:** Adèle Copeman.

Un immense merci à des personnes qui ont donné du temps et une énergie exceptionnels en vue de la réussite du Guide Bacchus, et cela par toutes sortes de moyens: Louis Bernier pour des informations sur les Îles de la Madeleine et Mounir Ishak pour des informations sur la région de Québec. Aussi, pour un travail extraordinaire:Annie Leroux à la saisie et à la documentation, Julie Laurin à l'infographie, et Dominique Tavan au soutien rédactionnel et à la logistique générale. Un dernier merci à Luc Jacques et à Louise Bordeleau pour leurs précieux conseils.

Remerciements (suite)

Des remerciements particuliers à l'équipe de «Communications Im-média-tes», les attaché(e)s de presse dans les régions et dans les villes:

Sandra Rouleau (Abitibi-Témiscamingue)
Monique Boissonneault (Mauricie)
Alexandra Glezos (Cantons-de-l'Est)
Guy Lapointe (Outaouais)
Monica Sniec (Montréal)
Denis Allaire (Saguenay)
Annie Proulx (Côte-Nord)
Olivier Bourque (Région de Québec)

Crédits photographiques: L'ensemble des photos sont de Richard de Bessonet, mais lorsqu'elles sont proposées par l'établissement même, les crédits photographiques sont indiqués dans ce guide à la page 283.

Introduction

Voici enfin la nouvelle édition du *Guide Bacchus* seize (16) ans après la 2ième édition en 1985; la première édition remonte à 1982. La situation de la restauration, de la gastronomie ainsi que de l'hébergement a profondément changé au Québec depuis le début des années '90.

Dans le sillage des premiers restaurants où l'on peut apporter son vin -au début des années 80- sont apparues les chaînes de brochetterie grecque qui, dans ces années-là, ont suscité l'intérêt d'un grand public heureux d'apporter son vin et ainsi ménager leur portefeuille. Mais les gens se sont lassés de cette cuisine répétitive qui occupait 60% des restaurants «apporter votre vin» à cette époque. L'apparition des tables et des gîtes à singulièrement changé la donne.

Depuis déjà 1985, plusieurs tables sont nées dans nos régions et ont ainsi enrichi le patrimoine gastronomique régional, alors tenu par l'hôtellerie traditionnelle avec son bar et son «lounge».

Aujourd'hui, 20 ans plus tard, une renaissance phénoménale de la restauration a lieu dans la plupart des régions du Québec. Les voyageurs et les gastronomes peuvent trouver d'excellents et même de formidables restaurants ainsi que des tables qui n'ont plus rien à envier à la restauration traditionnelle.

Il n'est plus nécessaire de rajouter 20, 30 ou 40$ à l'addition dans un restaurant à l'ancienne mode, alors qu'on trouve toute une panoplie de restaurants et de tables dotée de riches cuisines internationales ou régionales.

Après l'Australie qui a adopté la formule «apporter votre vin», le Québec a emboîté le pas et celà d'une manière spectaculaire; c'est ce que vous découvrirez dans ce livre.

Nos choix

Nos choix ont été motivés par la volonté de relever les adresses où le rapport qualité-prix est excellent. Dans toutes les régions, nous avons demandé, disons presque enquêté, pour trouver des perles. Nous avons eu l'aide des gens dans les régions mêmes.

Ainsi, plusieurs lecteurs découvriront des établissements dans un rayon de 50 kilomètres qu'ils ne connaissent pas.

Les produits du terroir

Nous avons dû limiter malheureusement le nombre de productions à celles liées directement à l'accompagnement d'un repas. Nous aurions pu en mettre facilement le triple, mais l'espace manquait pour cette édition.

Les lecteurs

Le Guide Bacchus veut rejoindre toutes celles et ceux que l'agrotourisme passionne et qui veulent voyager d'une autre manière. La gamme sans cesse augmentée des produits du terroir en région ne peut que combler les «agrotouristes».

Celles et ceux qui aiment choisir un vin à leur goût, soit à la S.A.Q., soit dans leur cave, pour accompagner une sortie dans un restaurant ou une table, ou pour une fin de semaine dans un gîte ou une auberge, ont maintenant le choix.

Table des matières

Table des matières (suite)

Avertissements et suggestions

Toujours téléphoner avant de vous rendre dans un établissement, soit pour réserver, soit pour les prix, soit pour connaître les meilleurs chemins pour s'y rendre, etc.

Toutes les informations contenues dans ce guide sont sujettes à changement.

Les menus varient d'un mois à l'autre et même d'une semaine à l'autre dans certains établissements. Ceux-ci peuvent se retrouver avec de nouveaux propriétaires.

Si l'on compte une moyenne de 40 informations par établissement, cela donne approximativement 12 600 items; il est évident que des erreurs ont pu se glisser dans nos pages, nous vous prions de nous en aviser à l'adresse qui apparaît au début du volume. Merci à l'avance!

Les prix indiqués ne comprennent pas les taxes, à moins d'indication contraire dans le texte.

Légendes

Établissement **où l'on peut apporter son vin** (incluant des pourvoiries dans le Nord du Québec·Baie James et le Nunavik).

Gîte, auberge, résidence de tourisme, chalet, pourvoirie, avec un **accès cuisine permettant de préparer ou simplement conserver ou réchauffer sa nourriture** et où évidemment l'on peut apporter son vin. Certains gîtes ou auberges vous proposent de vous procurer votre repas chez un traiteur local, où même de faire livrer votre repas.

Certains lieux, comme des parcs ou encore des producteurs du terroir, ont des aires de pique-nique (avec ou sans table!) et on vous laisse **apporter votre repas et votre vin** à la condition de se procurer un produit de leur ferme.

Définitions

Restaurant: Établissement où vous pouvez apporter votre vin.

Gîte et auberge: Établissement d'abord voué à l'hébergement, mais qui dans certains cas, offre à ses logeurs un souper sur demande et sur réservation, parfois seulement en saison touristique. Certains gîtes et auberges acceptent de servir sur réservation ou non des repas du soir à des logeurs (voir ces détails à la description des établissments).

Table: Établissement où il faut réserver à l'avance pour un groupe minimum de personnes, généralement de 10 à 50, quelques fois moins ou plus, il y est proposé un menu de 4 à 9 services (rarement plus!). Dans certaines tables, un pourcentage plus ou moins important du menu a été produit par la ferme sur place. D'autres tables façonnent leur menu à partir des productions régionales et/ou complètent avec des traiteurs.

Chalet et résidence de tourisme: Lieux où vous louez votre hébergement et qui offrent l'usage d'un espace cuisine ou cuisinette.

Cabane à sucre et érablière: Souvent confondues, le premier terme est un établissement où l'on offre des repas, tandis qu'une érablière peut être aussi une entreprise de produits de l'érable tout en offrant des repas.

Traiteur: Il existe au Québec toute une panoplie de traiteurs, certains ayant souvent déjà sur place des repas froids (parfois chauds) presque toujours prêts, ou à quelques heures près; d'autres demandent des réservations longtemps à l'avance et souvent proposent en même temps le personnel pour servir.

Définitions (suite)

Pourvoirie: Toute une gamme de pourvoiries proposent toutes sortes de «plans»; certains «plans» n'incluent pas la nourriture ou la boisson, alors on peut apporter son vin.

Chemins du terroir

Boulangerie et fromagerie: Nous avons tenté de ramener notre choix à des artisans qui font du pain ou du fromage artisanalement; parfois ces derniers peuvent en produire pour d'autres établissements (ce qui n'en fait pas nécessairement une production industrielle).

Cidrerie, hydromellerie et vignoble: Ce sont des producteurs du terroir détenteur d'un permis de production artisanale.

Ferme de petits fruits: Il fallait bien trouver une façon de définir ces entreprises du terroir qui font des «vins» ou boissons alcoolisées à partir de fruits produits localement.

Pommeraie: Verger de pommiers.

Abitibi-Témiscamingue

Restaurants :

- Au rucher de la montagne
- Meule et CaquelonMC

Table :

- La table enchantée

Gîtes :

- Au Soleil couchant
- Île-Nepawa

Érablière :

- Érablière Léonel Lapierre

****

Vignoble :

- Le Domaine des Ducs

Fromageries :

- La Chèvrerie Dion
- La Ferme au Village

Boulangerie :

- Boulangerie Pâtisserie Linda

Produits naturels :

- La Semence

Le Domaine des Ducs

Vignoble **Témiscamingue**

440, rte de l'Île, Duhamel Est, Ville-Marie (819) 629-3265

Ouvert en saison estivale sur réservation.

Ce vignoble est entouré par le Lac Témiscamingue, frontière entre le Québec et l'Ontario. Le site du vignoble est localisé sur l'Île du Collège sur ce lac. Sa latitude est équivalente à celle de Québec, bien que situé à l'ouest.

Les vins produits, bien que jeunes, sont de type Bordeaux et Bourgogne pour les rouges, et de type Riesling pour les blancs. Nom des vins disponibles : le *Rubis de l'île*, vin rouge; le *Blanc de Duhamel,* vin blanc; et le *Rose-Marie*, vin rosé.

Au rucher de la montagne 🍷

Restaurant **Abitibi** **spéc. franç. et rég.**
623, rang de la Montagne, Beaudry (819) 797-4178
Ouvert les ven et sam. Veuillez tél. pour info et réserv.

MENU 25.00$ taxes et pourboire inclus

Amuse-gueules

Choix d'entrées
Rouleaux de printemps, crêpes aux asperges et béchamel, antipasta, salade niçoise, panier de fruits de mer, paëlla, salade César, millefeuille de saumon fumé ou salade de feta mariné

Choix de potages
Crème de légumes, crème de tomate, potage Crécy, velouté de brocoli ou soupe aux légumes

Choix de plats principaux
Poulet au gingembre et au miel
Poulet à la limette
Suprême de poulet, sauce aux artichauts
Brochettes de poulet
Porc aux champignons
Filets de porc au miel
Côtelettes papillon aux pommes
Bœuf au jus
Roulade de veau à la mousse de volaille
Escalope de veau aux tomates et olives : sauce rosée aux champignons ou aux poivrons rouges
Lapin, cailles ou agneau (avec un léger supplément)

Entremet
Sorbet

Dessert
Baklava, crêpes aux petits fruits, gâteau au chocolat, gâteau au fromage avec coulis, gâteau Reine Élizabeth, tiramisu classique, tarte aux pommes, tarte au sucre, gâteau glacé à la meringue et au café ou millefeuille à la crème

Au Soleil Couchant

Gite Abitibi spéc. franç. et rég.
301 Val du Repos, Val Senneville (819)856-8150

Service de traiteur à proximité (Daniel Bélisle), 5 services à 40$/personne, taxes incluses.

Autres services de traiteur et de buffet froid, à proximité au coût de 10$ à 20$ selon les composantes du menu.

Les plats sont livrés au gîte et les logeurs se servent eux-mêmes ce qu'ils ont commandé. Les logeurs peuvent apporter leur vin.

Boulangerie Pâtisserie Linda

Boulangerie Témiscamingue
84, rue Ste-Anne, Ville-Marie (819)622-1481
Ouvert de jour du dim au ven. Commander au préalable.

Pains, croissants, gâteaux, muffins du terroir, etc.

La Chèvrerie Dion

Fromagerie Abitibi
128, route 101, Montbellard (819)797-2617
Ouvert à l'année du mardi au dimanche de 10h30-16h30.

Variété de fromages : le Brin de chèvre, fromage en grain, le *P'tit fêta*, le *Parmesan,* le *Montbeil*, fromage type cheddar doux, moyen et fort ainsi que les *Délices* à la ciboulette, aux fines herbes, aux poivres, à l'ail ou nature.

Érablière Léonel Lapierre

Érablière **Témiscamingue** **spéc. québécoises**
Route 101, ch. de l'Érablière Lapierre, Laniel (819)634-2131
Ouvert tous les jours de mars à avril de 8h-20h.
Réservation pour les groupes de 15 et plus.

BUFFET DE L'ÉRABLIÈRE

Soupe, hors-d'œuvre, fèves au lard, pommes de terre, jambon, crêpes, œufs dans le sirop **10.87/pers.**

Soupe, hors-d'œuvre, fèves au lard, pommes de terre, jambon, crêpes, œufs dans le sirop, tire sur la neige.
en sem. pour les groupes (incl. taxes) 12.50

La Ferme au Village

Fromagerie **Témiscamingue**
45, rue Notre-Dame O., Lorrainville (819)625-2255
Visites à l'année du lun-ven de 9h-16h30. En saison estivale: tous les jours de 9h-16h30. Prière de réserver avant 16h.

Fromages au lait de vache ; en meule de type cheddar, entre autres le célèbre cheddar au lait cru *Cru du Clocher* qui est vieilli et fait de manière artisanale.

La Semence

Produits naturels **Abitibi**
184, rue Carter, Rouyn-Noranda (819)762-8918
Ouvert à l'année.

Pains de céréales germées et fins fromages de chèvre. Pains frais de différentes sortes: blé, seigle, marocain, aromatisé à l'anis, pain intégral, pain blanc, baguette française, croissant, etc. Ces pains au goût ancestral sont de fabrication maison, au vrai sens du terme puisqu'ils sont façonnés dans une cuisine rurale familiale très campagnarde. Les grains utilisés sont pour la plupart biologiques.

Meule & Caquelon MC

Restaurant suisse **fondue, raclette, grillade**

169, rue Murdoch, Rouyn-Noranda (819) 762-6962

Ouvert mer- dim en soirée (jusqu'au printemps 2002).

MENU 36 CHOIX Prix entre 9.95 et 27.95

La raclette « Des Grisons »
Le Bifteck tournedos à l'italienne
La dégustation « Savoyarde »
La fondue chinoise « Bouquetière »
La fondue « Surf N'Turf »
La fondue « Suisse » garnie
Le Chateaubriand « Charcutière »
Le suprême de volaille et sa garniture des mers
L'Assiette « Neptune »
La raclette du « Valais » (spécialité de la maison)

Table d'Hôte Meule et Caquelon pour deux **39.90**
Table d'Hôte filet dorée pour deux **55.00**
Table d'Hôte 3 fondues pour deux **47.00**
(Suisse, chinoise bouquetière, chocolat)
La raclette gibier (oct-nov) pour deux **60.00**
La fondue gibier (oct-nov) pour deux **55.00**
(Bison, caribou, sangliere, autruche)

Assiette fromage et fondue au chocolat pour amateur de Porto et ice-wine

Meule et Caquelon souhaite remercier sa clientèle pour la formidable confiance qu'elle a accordée au restaurant. Fort de ce succès, **Meule et Caquelon** désire continuer et parachever le concept si heureusement élaboré et soutenu à Rouyn-Noranda. Toutefois les limites liées au bassin de population doivent d'abord être assumées et c'est dans une région de plus grande population que le concept **Meule et Caquelon** pourra être pleinement réalisé. C'est ainsi que temporairement un nouveau site à Gatineau est envisagé et nos clients seront avisés au printemps 2002 de la nouvelle adresse du restaurant en attendant son retour en 2003.

Île-Nepawa

Gîte/chalets **Abitibi**

695, Ile-Nepawa, R.R. #1, Ste-Hélène-de-Mancebourg
Ouvert du 1er mai au 31 octobre. (819) 333-6103

Accueil de soutien pour l'allemand en immersion si désiré.

Trois chalets disponibles en location sur le bord du magnifique Lac Abitibi ; petite cuisine permettant la préparation des repas : on peut s'approvisionner tout près à Ste-Hélène-de-Mancebourg ou à La Sarre (à 20 minutes). Évidemment, on peut apporter son vin.

La Table Enchantée

Table | Abitibi | spéc. franç. et rég

163, chemin Paiement Nord, McWatters (819) 797-2123

Ouvert à l'année sur réservation pour un min. de six pers.

MENU 35.00-38.00

Amuse-gueule

Choix d'entrées
Crêpe farcie à la volaille et à la Blanche de Chambly
Îlot de flan de saumon à la betterave
Fourré de pêche, thon et échalote
Avocat en dentelle et cœur de palmier vinaigré au basilic
Crêpe aux trois fromages
Pissaladière

Potage velouté

Choix de plats principaux
Filet de porc mariné, sauce aux champignons
Mignons de bœuf royal, sauce à la crème et gingembre
Agneau
Omble de l'Abitibi aux amandes grillées
Noisette de porcelet à la dijonnaise
Filet de porc farci au blanc de gruyère
Émincé de bœuf aux légumes

La table enchantée (suite)

Poulet farci
Feuilleté de bœuf
Volaille sautée au Madère
Steak aux cinq poivres
Suprême de volaille à l'orange

Granité de pommes vertes au Brandy

Choix de desserts
Gâteau aux pêches et amandes
Gâteau diabolique aux doux chocolats
Gâteau au citron et son coulis
Délice aux avelines
Crêpes au Grand Marnier
Gâteau meringue à la cannelle

Le Vignoble Le Domaine de Ducs
donnant sur le lac Témiscamingue

Bas-Saint-Laurent

Restaurants :

- Restaurant Rimkân

Gîte :

- Gîte aux 5 Lucarnes

****

Fromageries :

- Fromagerie des Basques
- Fromagerie Le Détour

Boulangeries :

- Boulangerie Folles Farines
- Boulangerie Niemand

Ferme de petits fruits :

- Framboisière des 3

Produits de la sève d'érable:

- L'Éveil du printemps

Boulangerie Folles Farines

Boulangerie **Bas-Saint-Laurent**

113, rue St-Jean-Baptiste, Bic (418) 736-8180

Ouvert l'été ts les jours de 8h-18h. Hors-saison : du ven au dim.

Pains au levain faits à la main à partir de farines biologiques moulues sur pierre, de sel de mer et d'eau de source.

Boulangerie Niemand

Boulangerie **Bas-Saint-Laurent**

82, Avenue Morel, Kamouraska (418)492-1236

Ouvert de Pâques- 24 juin et du 8 sept-31 déc de jour du jeu-dim

---

Grande variété de pains frais au levain, façonnés à la main selon la tradition allemande (cuits sur la pierre). Pâtisseries fines aux fruits de la région et pâtisseries viennoises. Farine de grains biologiques.

L'Éveil du Printemps

Produits de la sève d'érable **Bas-Saint-Laurent**

65, route du Vieux-Moulins, Auclair (418) 899-2528

Ouvert tous les jours l'été de 9h-18h. Hors saison: jeu-dim de 9h-18h. Fermé en novembre.

Produits: vin blanc sec *Prémices d'Avril*; *mousseux Mousse des Bois*, apéritif *Val Ambré*; apéritif élevé en fût *Charles-Aimé Robert.*

Gîte aux 5 Lucarnes

Gîte **Bas-Saint-Laurent** **spéc. régionales**
2175, route 132 Est, Le Bic 1-866-582-2763
Ouvert à l'année sur réservation pour de 6-20 personnes.

TABLE D'HÔTE 25.00

Choix d'entrées
Fromage de chèvre
Terrines
Pleurotes
Saumon fumé
Pêche du jour

Velouté maison

Choix de plats principaux
Accompagnés de légumes bio de saison
Agneau
Saumon frais de l'Atlantique
Escalope de veau
Moules

Framboisière des 3

Ferme de petits fruits **Bas-Saint-Laurent**
17, rue du Domaine, St-Pacôme (418) 852-2159
Ouvert tous les jours de 9h-18h. Visites et dégustations.

Boissons alcoolisées: aux framboises Le *Pacômois;* aux framboises/bleuets *Le Pier O; aux bleuets Cap au Diable.*

Fromagerie des Basques

Fromagerie **Bas-Saint-Laurent**
69, route 132 Ouest, Trois-Pistoles (418) 851-2189
Ouvert du sam-mer de 8h-17h et les jeu-ven de 9h-21h.

Cheddar, fromage en grains (qui fait "couic-couic") et fromages frais à pâte ferme, non-affiné, en brique, en grains ou râpé.

Fromagerie Le Détour

Fromagerie **Bas-Saint-Laurent**
100, rte Transcanadienne, N.-D.-du-Lac (418)899-7000
Ouvert tous les jours de 6h-18h /de 6h-21h d'avril-sept

Produits artisanaux: fromage frais du jour; fromage non-salé, salé, saumuré; fromage au lait cru; fromages fins *Brick, Monterey Jack, Colby, Mozzarella,* etc. Des vins artisanaux sont aussi disponibles: *Le Pacômois* et les produits de l'hydromellerie Le Vieux Moulin.

Restaurant Rimkân

Restaurant Bas-Saint-Laurent spéc. camb. thaï. viet.
405A, Lafontaine, Rivière-du-Loup (418) 863-5193
Ouvert du mar au dim en soirée et du mar au ven le midi

TABLE D'HÔTE DU MIDI 8.95

Incluant soupe au choix, rouleau impérial, café ou thé

Bœuf sauté au brocoli
Bœuf et piments sautés au curry
Viande de crabe et vermicelles
Légumes asiatiques
Poulet ou porc à la citronnelle
Poulet ou porc asiatique
Poulet ou porc au gingembre

TABLE D'HÔTE DU SOIR

Incluant soupe, rouleaux impériaux, pouding, café ou thé

Bœuf sauté au brocoli	14.95
Bœuf et piments sautés au curry	14.95
Poulet sauté aux légumes	14.95
Crevettes marinées dans une sauce asiatique	17.95
Brochettes de poulet, bœuf ou crevettes	17.95

PLATS PRINCIPAUX À LA CARTE

Légumes asiatiques	8.95
Bœuf sauté aux piments et à la citronnelle	8.95
Poulet ou porc asiatique	8.95
Côtes levées de porc	11.95
Crevettes au curry	11.95
Crevettes sautées aux piments et à la citronnelle	11.95

Cantons-de-l'Est

Restaurants :

- L'Arlequin
- Le Bocage
- Chez Antoine
- Le Chou de Bruxelles
- Classyco
- La Closerie des Lilas
- Da Teresa II
- Lotus d'Or
- Lueur du Mékong
- La Maison Chez-nous
- La maison Grecque
- Le Petit Parisien
- Le Sultan
- La Table d'Hôte
- Les Toits Bleus

Table :

- Aux Jardins Champêtres

Auberges:

- L'Auberge d'Andromède
- Auberge La Grande Ligne

Vignobles :

- Les Blancs Coteaux
- La Sablière
- Vignoble Le Cep d'Argent

→

- Vignoble Les Trois Clochers
- Vignoble Sous les Charmilles

Fromageries :

- Abbaye de Saint-Benoît-du-Lac
- Les Dépendances du Manoir

Boulangerie :

- Au Lever du Jour
- La Mie de la Couronne

Cidreries :

- Abbaye de St-Benoît-du-Lac
- Les Blancs Côteaux
- Fleurs de Pommiers

Hydromelleries :

- Rucher Bernard Bee Bec
- Hydromèlerie Les Saules

Abbaye de St-Benoît-du-Lac

Cidrerie et fromagerie **Cantons-de-l'Est**
St-Benoît-du-Lac (819) 843-4080
Ouvert du lun- sam à l'année de 9h-11h45 et 12h45-16h30.

Vin mousseux léger, sec ou demi-sec *Cidre de l'Abbaye*, vin mousseux fort, sec ou demi-sec *Cidre Saint-Benoît*.

Fromage bleu l'Ermite, fromage de type gruyère très doux le Mont *Saint-Benoît*, fromage de type gruyère à saveur plus marquée le Moine, fromage le *Frère Jacques*, fromage le *Ricotta*.

L'Auberge d'Andromède

Gîte **Cantons-de-l'Est** **spéc. régionales**
495, rang 6, Courcelles (418) 483-5442
Ouvert en soirée sur réservation / Brunch le dimanche

TABLE D'HÔTE

Traditionnel cocktail de bienvenue

Assiette de fins canapés du chef

Choix d'entrée
Salade de faisan au vinaigre d'érable et canneberges
Salade de confit de canard tiède, vinaigre de sauvignon
Crêpe gratinée au cheddar et coulis de tomate
Charcuteries, gelée de cèdre, pain de noix et salade

Granité de framboises à la sortilège

Choix de plats principaux
Rouelle de lapin farcie aux chanterelles 28.00
Suprême de volaille à l'érable et canneberge 28.00
Magret de canard aux framboises et miel 28.00
Noisette d'autruche de Nantes aux bolets des bois 30.00
Médaillon de bison, sauce aux prunes sauvages 38.00

Choix de desserts
Gâteau au fromage nappé de chocolat suisse noir, coulis de framboise et d'érable, fruits frais

L'Arlequin

Restaurant   Cantons-de-l'Est   spéc. françaises
875, Belvédère Sud, Sherbrooke   (819) 573-2818
Ouvert les midis du mar-ven et en soirée du lun-sam.

TABLE D'HÔTE (du lun au jeudi en soirée)   16.00

Choix d'entrées
Potage du marché
Salade céleri-rave et crevettes roses à l'aneth
Terrine de veau à la provençale

Choix de plats principaux
Rigatoni au jambon et parmesan
Moules marinières au cari et au poivre rose
Filet de St-Pierre à la crème d'estragon
Mijoté de dindon aux chanterelles
Médaillon de veau aux fraises et Grand Marnier

Choix de desserts
Gourmandise du jour
Salade de fruits

L'Arlequin (suite)

LA TABLE D'HÔTE (la fin de semaine)

Servie avec potage du marché, choix d'entrées, dessert et café, thé ou infusion

Moules à la crème d'épinard et crevettes roses	22.00
Filet de sole poché aux amandes et abricots	24.00
Escalope de veau aux deux moutardes	26.00
Filet de porc à l'orange et poivre vert	27.50
Mijoté de daim aux cinq épices	29.00
Magret de canard aux oignons	30.50
Mignon de bœuf poêlé aux pommes et romarin	32.00
Duo d'agneau rôti aux tomates et herbes	34.00
Assiettes des mers à la fleur d'ail et citron vert	36.00

Auberge La Grande Ligne

Auberge de jeunesse (de 7 à 99 ans) **Montérégie**
318, ch de la Grande-Ligne, Racine (450)532-3177

Accès à la cuisine et la salle à manger pour les logeurs seulement ; ceux-ci peuvent y apporter leur vin.

Au Lever du Jour

Boulangerie **Cantons-de-l'Est**
22, rue Water, Danville (819)839-2152
Ouvert tous les jours, sauf dim et lun. En soirée la sem.

Pain de ménage à la farine non-blanchie, rouleaux de sésames, pains aux multi-grains, pains aux raisins, pain biologique au blé entier, pain biologique à l'avoine, pains cuit sur pouliche, pain aux olives noires et thym, pain intégral, pain au levain naturel Costaud, pain aux fromages, pain levain naturel aux carottes et tournesol, pain au levain enrobés de tournesol, pain à l'orange et au chocolat, pain au pesto et aux carottes, pain de seigle, pain à l'oignon, fougasse, etc.

Aux Jardins Champêtres

Table **Cantons-de-l'Est** **spéc. franç.**
1575, ch des Pères, Magog (819)868-0665
Il est préférable de téléphoner avant de se rendre.

TABLE D'HÔTE (6 services) 39.00$

Salade au confit de canard et vinaigrette balsamique
Mousse de foie de volaille et confiture d'oignons
Terrine de lapin au moût de pomme
Pâté de canard

Potage de cresson aux poires et aux herbes
Velouté jardinier
Crème d'asperge aux amandes grillées

Aumônifère de poireau, sauce cheddar
Croustade de lapin aux pistaches et Pinot de Charente
Feuilleté de canard aux abricots et citron confit
Pétoncles au Pernod sur nid de pâte au pesto

Sorbet aux petits fruits sauvages et liqueur de rose

Magret de canard au genièvre et au Porto
Filet de porc au miel de fleurs sauvages et sésame
Émincé de volaille aux cerises de terre
Canard braisé sauce bordelaise et pruneaux
Cuisseaux de lapin au vin blanc, parfumée à la tomate

Gâteau à la pâte d'amande et crème anglaise
Péché mignon aux marrons et chocolat
Crêpe glacée aux pommes et aux figues
Charlotte royale à la crème pâtissière et fruits de saison
Gâteau praliné au nougat et framboise
Profiteroles au chocolat

Les Blancs Coteaux

Vignoble, cidrerie **Cantons-de-l'Est**
1046, route 202, Dunham (450) 295-3503
Ouvert tous les jours de 9h-18h. Visite guidée (10 pers. et plus).

Vin blanc de vendange sélectionnée *La Taste*; vin vieilli en fût, La Tast; cidre fort et sec Nouaison; cidre rosé, fort et demi-sec *Rose-Gorge*; apéritif *Empire*.

Le Bocage

Restaurant et gîte **Cantons-de-l'Est** **spéc. rég.**
200, chemin Moe's River, Compton (819) 835-5653
Ouvert en soirée sur réservation pour de 2 à 40 pers.

EXEMPLE DE TABLE D'HÔTE (6 services) 45$

Choix d'entrée froide
Terrine de chevreuil aux poivres verts et confiture
Salade de céleri-rave et truite fumée
Potage aux pommes et citrouille

Choix d'entrée chaude
Gambas géantes, sauce cari-coco
Panzoretti de pintade et noix de pin, sauce canneberge
Sorbet aux pommes, calvados et orange ou pastis

Choix de plat principal
Cailles farcies au pâté de foie de lapin au Porto
Boston d'agneau aux olives

Choix de dessert
Gâteau au fromage truffé aux poires
Gâteau-mousse triple chocolat frangélico

Le Cep d'Argent

Vignoble **Cantons-de-l'Est**
1257, ch de la Rivière, Canton de Magog*(819)864-4441
*Passez par Deauville.
Ouvert à l'année. Visite de juin à déc + fins de sem à l'an.

Vin blanc *Le Cep d'Argent*, vin rouge *Délice du Chais*, vin rouge *La Réserve des Chevaliers*, mistelle *Mistral*, mistelle L'*Archer*, vin mousseux blanc *Sélection des Mousquetaires*, vin mousseux rosé *Sélection des Mousquetaires*, vin blanc *Cuvée des Seigneurs*.

Chez Antoine

Restaurant **Cantons-de-l'Est** **spéc. végétariennes**
143, Frontenac, Sherbrooke (819) 346-3004
Ouvert de 9h-14h30 du mar-ven et le sam de 11h-21h.

MENU

Soupe	2.50
Petite salade	3.65
Sandwich	3.65
Chili servi avec salade	4.50
Salade en abondance	4.95
Sandwich et salade	4.65
Plat du midi	5.95
Plat du soir	7.95
Dessert du jour	1.25
LA TABLE D'HOTE DU MIDI	7.50

Les Dépendances du Manoir

Fromagerie **Cantons-de-l'Est**
1199, Pierre-Laporte, Brigham (450)266-0395
Ouvert en semaine de juillet à la mi-octobre.

Fromagerie avec cave d'affinage à l'européenne offrant divers produits : fromage rougette de Brigham, peau rouge, geai bleu.

Le Chou de Bruxelles

Restaurant Cantons-de-l'est spéc. belges et franç.
1461, Galt Ouest, Sherbrooke (819) 564-1848
Ouvert tous les jours en soirée.

LA TABLE D'HÔTE 20.95

Choix d'entrées
Tartare de saumon fumé maison
Escargots sur linguini

Suggestion du chef
Crème du jour ou velouté de poisson

Choix de plats principaux
Filets d'agneau aux pleurotes
Escalope de veau, sauce au poivre vert
Poêlée de lapin aux champignons et estragon
Longe de saumon, sauce hollandaise
Moules au crabe

Pavé de Bruxelles ou mousse au chocolat
Café, thé ou tisane

Le Chou de Bruxelles (suite)

MENU GASTRONOMIQUE 26.95

Choix d'entrées
Tomate farcie aux crevettes
Feuilleté de ris de veau archiduc
Potage au choix
Granité de pommes et calvados

Choix de plats principaux
Magret de canard, sauce alexandra aux artichauts
Nage de pétoncles et crevettes sur coulis de poivrons
Moule « Michou » au saumon fumé
Médaillon de bœuf brabançon
Terrine au chocolat belge
Capuccino chantilly

Classyco

Restaurant Cantons-de-l'Est spéc. ital. et fondues
133, Frontenac, Sherbrooke (819) 565-4148
Ouvert tous les jours le midi et en soirée du jeu au dim.

TABLE D'HÔTE 12.95-18.95

Disponible du jeudi au samedi.

LES PÂTES

Choix de pâtes avec les sauces suivantes :

Tomates, ail et pesto	6.25
Bolognaise	6.75
Alfredo	6.75
Rosario (crème et sauce tomate)	6.75
Crevettes	7.95

LES FONDUES

Servies avec pain, légumes et sauces

Chinoise	10.95
Poulet	11.95

Servies avec pain, brocoli et chou-fleur

Fromage	13.95
Italienne	14.95

La Closerie des Lilas

Restaurant **Cantons-de-l'Est** **spéc. : fondues**
21, rue Court, Granby (450) 375-3597
Ouvert du mardi-dim. dès 17h.

LES ENTRÉES

Brie au miel et amandes effilées	5.50
Feuilleté d'escargots	6.50
Coquille St-Jacques	6.50
Saumon fumé	6.95
Crevettes sauce rosée (5)	7.95

LES PLATS PRINCIPAUX

Accompagnés de riz, légumes vapeur et salade maison

Cuisses de grenouille	19.95
Surf & turf	22.00
Langoustines	25.00

LES FONDUEs

Suisse (fromage)	16.95
Italienne (fromage et tomates)	16.95
Poulet	17.25

La Closerie des Lilas (suite)

Chinoise (bœuf en tranches)	18.25
Bourguignonne (filet mignon en cubes)	19.25
Terre et mer	22.95
Neptune	23.95

LES DESSERTS

Gâteau aux carottes	2.95
Poire Belle-Hélène	3.75
Profiterole au chocolat belge maison	3.75
Gâteau au fromage et ses coulis maison	3.95
Brochettes de fruits et chocolat	4.75

Da Teresa II

Restaurant **spéc. italiennes**
13, rue Court, Granby (450) 777-7300
Ouvert tous les jours en soirée et le midi en semaine

TABLE D'HOTE

Entrées au choix:
Tourtière de sanglier
Escargots Da Teresa
Cœurs d'artichaut

Plats principaux au choix :

Duo Fettucini Alfredo et penini Arabiata	19.95
Suprême de poulet, sauce aux champignons	21.95
Longe de saumon hollandais	23.95
Cœur de surlonge (9 oz)	25.95

Dessert, café, thé ou tisane

Hydromèlerie Les Saules

Hydromellerie **Cantons-de-l'Est**
27, rang Saxby Nord (route 112), Granby (450)372-3403
Ouvert à l'année: lun-ven 12h30-17h30/ sam-dim 10h30-17h30. Visite guidée pour les groupes sur réservation.

Hydromel sec *Les Frères Miel.*

Fleurs de Pommiers

Cidrerie **Cantons-de-l'Est**
1047, route 202, Dunham (450) 295-2223
Ouvert tous les jours de 9h-17h d'avril à oct/ du jeu-dim de 10h-17h de nov-déc. Autocueillette en saison.

Mousseux léger, sec et vieilli en fût *Cuvée de la Pommeraye*; Cidre léger, sec et vieilli en fût *Blanc de Pomme;* Cidre léger sec et vieilli en fût *La Réserve*; mistelle *Pommeau d'Or*, cidre léger, sec et aromatisé aux petits fruits *Cuvée de Noël.*

La Mie de la Couronne

Boulangerie **Cantons-de-l'Est**
74, rue Alexandre, Sherbrooke (819) 346-7246
Ouvert du mar-jeu de 8h30-17h30/ven de 7h-17h30/sam de 7h-15h.

Pains: à l'ancienne, L'Intégral, de maïs, d'avoine, aux olives, de seigel, aux raisins, aux pommes, aux noix, etc.

Lotus d'Or

Restaurant Cantons-de-l'est **spéc. viet. et thaïl.**
88, Principale, Granby (450) 372-4010
Ouvert tous les jours le midi et en soirée.

SPÉCIALITÉS VIETNAMIENNES

Poulet sauté aux légumes et gingembre	8.50
Boeuf au cari jaune épicé et légumes variés	8.95
Nid d'amour aux crevettes et poulet	8.95
Poulet du général Tao	8.95
Crevettes au brocoli et champignons	9.50

SPÉCIALITÉS THAÏLANDAISES

Poulet au cari rouge avec lait de coco	8.50
Boeuf au style thaïlandais	8.95
Crevettes et calmar aux légumes	10.50
Calmar style thaïlandais	10.50
Canard BBQ sauté avec piments au basilic	12.50

Lueur du Mékong

Restaurant **Cantons-de-l'Est** **spéc. laot. et viet.**
310, boul. Boivin, Granby (450) 770-7953
Ouvert jeu-ven le midi et en soirée/ le sam-dim en soirée

COMBOS LAOTIENS 8.50
Salade de papaye
Cuisse et pilon de poulet frit avec riz

COMBOS LAOTIENS (pour 2 pers.) 19.95
Salade de papaye et salade de bœuf
Noom Tchin, cuisses de poulet frit et riz

TABLE D'HÔTE

Choix d'entrée
Soupe Won Ton ou Tom Yam au poulet
Rouleaux impériaux ou de printemps
Pilons de poulet frits

Choix de plats principaux

Poulet, sauce thaï et vermicelles	9.95
Sauté de légumes sur riz ou vermicelles	9.95
Sauté de bœuf et de basilic	9.95
Poulet au curry, basilic, légumes et riz	10.95
Nid d'amour au poulet sur nouilles	10.95
Sauté aux fruits de mer et curry	11.95
Nid d'amour aux fruits de mer sur nouilles	12.95

Choix de dessert
Banane, pomme ou ananas frits
Tapioca
Lychee
Café ou thé

La Maison Chez-nous

Restau. Cantons-de-l'Est spéc.rég. et fruits de mer
847, rue Montain, Granby (450) 372-2991
Ouvert du mer-dim en soirée et les dim de 10h30-13h30.

TABLE D'HÔTE

Choix d'entrées

Canard fumé et sa gelée d'érable au brandy
Salade tiède de chèvre chaud à la truite fumée 2.00

Potage

Choix de plats de résistance

Escalope de saumon grillé, salsa au fenouil	23.00
Cuisses de grenouille à la façon de chez-nous	26.00
Coffret de ris de veau braisé au vin de Madère	28.00
Rôti de caribou et poire caramélisée au miel	30.00
Suprême de faisan Argenteuil, sauce parmesan	30.00
Carré d'agneau et son caviar d'aubergine	31.00
Délice de la mer	35.00
Mignon de bœuf grillé et champignons au cognac	35.00

Dessert et café ou infusion

La Maison Grecque

Restaurant **Cantons-de-l'Est** **spéc. grecques**
514, Galt Ouest, Sherbrooke (819) 822-1711
Ouvert tous les soirs et du lun au sam le midi.

LES ENTRÉES

Tsatsiki	3.25
Feuilleté au fromage	4.25
Demi-salade césar	**5.25**

LES BROCHETTES

Servies avec salade, riz et pommes de terre à la grlecque

Bœuf, poulet, agneau, porc ou crevettes	9.95

LES AUTRES SPÉCIALITÉS

Moussaka	7.95
Moussaka végétarienne	7.95
Côtelettes d'agneau (4)	8.95

Rucher Bernard Bee Bec

Hydromellerie **Cantons-de-l'Est**
152, rue Principale, Beebe (819) 876-2800
Ouvert de 10h-17h tous les jours en saison et du ven-dim en hors-saison. Visites libres. 1-877-723-3232

Hydromel nature *Les Trois Villages*, hydromel aux framboises *Les Trois Villages*, hydromel gazéifié Les *Trois Villages*.

La Sablière

Vignoble **Cantons-de-l'Est**
1050, ch Dutch, St-Armand (450)248-2634
Ouvert de mai à l'Action de Grâces les sam-dim de 11h-17h. Possibilité de visites guidées sur réservations.

Vin blanc La Sablière.

Le Petit Parisien

Restaurant **Cantons-de-l'Est** **spéc. françaises**
243, Alexandre, Sherbrooke (819) 822-4678
Ouvert du mar-dim dès 17h sur réservation.

TABLE D'HÔTE (5 services)

Potage du jardinier

Fine laitue de saison au pintadeau confit
Balluchon de bleu et compote de chirozo au curry
Raviolis de homard au coulis de poissons safranés
Rillettes d'agneau et confiture d'oignons au Madère
Roulé de feuille vigneronne et sushi à la truite fumée
Effilochée de prosciutto et ses perles de cantaloup

Granité aux saveurs estivales

Pavé de flétan, infusion d'aneth et citron vert	25.95
Colombo antillais de porc au rhum et ananas	27.95
Râble de lapin farci aux pruneaux et Armagnac	28.95
Cuisse de canard laquée à l'érable et cinq épices	29.95
Tendre mignon de bœuf et moutarde à l'ancienne	30.95
Carré d'agneau rôti au cumin et harissa	31.95
Triade de gibiers aux tomates séchées et romarin	35.95

Dessert, thé, café ou tisane

Le Sultan

Restaurant **Cantons-de-l'Est** **spéc. libanaises**
205, rue Dufferin, Sherbrooke (819) 821-9156
Il est préférable d'appeler pour réserver.

LA SUGGESTION DU SULTAN

Hommos, moutabel, labné, taboulé, vigne et fatayer
Brochette de poulet marinée

Choix de grillades

Servies avec riz, pomme de terre grillée, salade saisonnière

Kafta (bœuf haché, oignons, persil)	16.95
Agneau	17.95
Crevettes	17.95
Filet mignon	18.95

Baklava, café, thé turc ou infusion

LES GRILLADES

Servies avec salade, hommos et riz

Brochettes de filet mignon assaisonnées	13.95
Brochettes de poulet, de bœuf haché et d'agneau	15.95
Brochettes de poulet, bœuf, d'agneau et crevettes	19.95
Cailles, crevettes, filet mignon, poulet et agneau	22.95

La Table d'Hôte

Restaurant **Cantons-de-l'est** **spéc. françaises**
142, chemin West Brome, West Brome (450) 263-2772
Ouvert sur réservation

TABLE D'HOTE

Incluant salade verte du jardin ou soupe du jour

Les entrées

Escargots du jour	5.50
Fondue parmesan	5.50
Moules au pesto	6.50

Les pâtes

Manicotti au poulet et homard	17.00
Manicotti au ricotta et épinard	17.00

Les viandes

Côtelettes d'agneau (3)	22.00
Steak de 12 oz	24.00
Steak de 16 oz	30.00

Les poissons

Saumon	24.00
Thon	24.00
Mahimahi	

24.00

Les Toits Bleus

Restaurant **Cantons-de-l'Est** **spéc. françaises**
1321, ch. Gendron, Canton de Magog (819) 847-0988
Ouvert à l'année, midis et soirs, ts les jours. Sur réserv.

MENU

3 services	22.70
4 services	27.50
5 services	33.75
6 services	38.25

Choix de soupes

Crème de légumes (variant selon les saisons)
Velouté de champignons des bois

Les Toits Bleus (suite)

Choix d'entrées
Assiette de charcuterie de la ferme
Feuilleté au brie
Rissolée de foies de volaille

Choix de plats
Médaillon de lapin aux abricots
Confit de canard, sauce framboise
Magret de canard au poivre vert
Agneau de la ferme
Tournedos de la mer au citron vert

Salades
Salade campagnarde (avec fromage de chèvre chaud)
Délice du jardin (salade verte et crudité)

Assiette de fromages français

Choix de desserts
Profiteroles au chocolat
Crème brûlée
Tarte aux fruits
Soufflé glacé à l'érable

Vignoble Sous les Charmilles

Vignoble **Cantons-de-l'Est**
3747, ch Dunant, Rock Forest (819) 346-7189
Ouvert tous les jours de mai à oct. Visite de juin à octobre et seulement sur réservation de janvier à mai.

Vin blanc *Vignoble Sous les Charmilles* (millésime) et mousseux *Sous les Charmilles.*

Vignoble Les Trois Clochers

Vignoble, ferme de petits fruits **Cantons-de-l'Est**
341, route 202, Dunham (450) 295-2034
Ouvert tous les jours de 10h-18h de fin juin à fin oct.
Ouvert les fins de sem. de 10h-18h de nov-juin.
Tables à pique-nique disponibles.

Vin blanc *Les Trois Clochers*, boisson alcoolisée aux petits fruits *La Frairie*, vin rouge *Les Trois Clochers*, apéritif *Le Seyval de Dunham*.

Paysage situé en bordure de la Montérégie
et des Cantons-de-l'Est.

Charlevoix

Gîte:

- À la Chouette

Table /relais du terroir :

- Les Saveurs Oubliées

****

Boulangerie :

- Boulangerie Louise Desrosiers

Fromageries :

- Maison d'Affinage Maurice Dufour
- Laiterie Charlevoix

Cidrerie :

- Verger Pedneault

Fumoir :

- Fumoir Charlevoix

Ferme :

- La Ferme Gourmande

Traiteur :

- Al Dente

Al Dente

Traiteur **Charlevoix** **spéc. italiennes**
30, rue Leclerc, Baie St-Paul (418)435-6695
Ouvert lun-mer, sam-dim de 10h-19h, jeu-ven de 10h-20h, dim de 12-18h. L'été, ouvert tous les jours dès 10h.

ANTIPASTA
Filet ou mousse de truite fumée
Pesto de basilic
Tapenade, purée d'olives noires
Chorizo
Sushi
Dim Sum au porc et sésame
Feuilleté d'épinard et féta

FROMAGES
Camembert fermier
De chèvres fins
Carré de l'Est

SALADES
Taboulé
Salade de cœur d'artichauts
Salade du jour

PÂTES
Choix de pâtes nature, au basilic, au citron, à la tomate, etc.
Manicotti aux épinards et aux 4 fromages
Cannelloni au veau de Charlevoix
Ravioli au fromage et pesto

DESSERTS
Terrine aux trois chocolats ou tiramisu

Boulangerie Louise Desrosiers

Boulangerie **Charlevoix**
65, rue St-Joseph, Baie-St-Paul (418) 435-6606
Il est préférable de téléphoner avant de se rendre.

Baguettes, miches, pain aux multi-céréales, pain de seigle, pain au carvi, bagel, pain aux fruits, pains sans gras ni sucre, fougasses et desserts en saison.

À la Chouette

Gîte **Charlevoix**
2, rue Leblanc, Baie-St-Paul l(418) 435-3217
Ouvert toute l'année.

Cuisine et véranda à la disposition des logeurs. On trouve également à proximité le traiteur Al Dente où l'on peut s'acheter des plats. On peut apporter son vin.

Maison d'Affinage Maurice Dufour

Fromagerie **Charlevoix**
1339, Mgr de Laval, Baie-St-Paul (418 435-5692
Ouvert de 10h30-15h30, en saison estivale. Dégustation.

Fromage à pâte fine, ferme et croûte lavée *Migneron de Charlevoix*, fromage cru à pâte persillée *Ciel de Charlevoix*, fromage de la Vallée du Gouffre.

La Ferme Gourmande

Ferme de canards à foie gras **Charlevoix**
25, rang Ste-Mathilde, La Malbaie (418) 665-6662
Ouvert tous les jours à l'année.

Cette ferme fait l'élevage de canards afin de produire du foie gras. Les animaux sont élevés à l'état naturel et sont nourris de moulée végétale. Le coût du foie gras se situe entre 80$ et 100$ le kilogramme.

Fumoir Charlevoix

Fumoir **Charlevoix**
25, rang Ste-Mathilde, La Malbaie (418) 665-6662
Ouvert tous les jours à l'année.

Entreprise effectuant de façon artisanale la transformation de produits marins frais tel que le saumon fumé, les pétoncles fumés, l'esturgeon fumé et l'anguille fumée. Les prix se situent entre 45$ et 55$ le kilogramme, selon le produit.

Laiterie Charlevoix

Fromagerie **Charlevoix**
1167, Mgr de Laval, Baie-St-Paul (418)435-2184
Ouvert de 10h30-15h30, en saison estivale. Dégustation

Cheddar frais et cheddar vieillis «médium» ou « extra-fort», en grain ou en bloc. Ancienne fromagerie de rang.

Les Saveurs Oubliées

Table/ relais du terroir Charlevoix spéc. françaises
350, rang St-Godefroy, Les Éboulements (418) 635-9888
Ouvert toute l'année sur réservation.

TABLE D'HÔTE 38.00

Choix d'entrées
Méli-Mélo du fumoir et confit d'oignon
Truite de chez Smith marinée et huile de homard
Mousse de foie d'agneau de la ferme
Salade de légumes et croustillant au *Migneron*
Raviolis d'agneau au beurre de pistou
Philo d'abats à la crème de gourgane et herbes
Marmite du moment ou verdurette gourmande

Choix de plats principaux
Curry d'agneau aux citrons confits
Épaule d'agneau confite, sauce aux moutardes
Filet d'agneau grillé au romarin et *Ciel* supp. 4.00
Escalope de veau à la crème de champignons
Lapin rôti au cidre et miel
Omble chevalier dans sa croûte d'épices

Choix de desserts
Tarte aux fruits et crème d'habitant
Crème brûlée au sucre roux
Discussion chocolatée
Assiettes de fromages fins et fruits 18.50
Fameux Vacherin à Chaput chaud au vin blanc 15.00

Verger Pedneault

Cidrerie **Charlevoix**

45, rue Royale Est, Iles-aux-Coudres (418) 438-2365

Ouvert à l'année tous les jours de 10h-18h.

Apéritifs, cidres, mistelles et mousseux disponibles :
Cidre fort glacé *Le Glacier*; cidre fort *Rêve de mon père* et *Le Vieux Verger*; cidre léger *Matins d'automne*; cidre bouché *Le Pierre-Étienne*; apéritifs aromatisés *Petites Poires*, *Cerisier rose et pommier blanc*, *L'envolée* et *L'ombre du côteau*; mistelle de pomme glacée *La Grande Glace* et autres mistelles aux pommes, prunes ou pommes et poires.

Activités disponibles au verger :
Vente de produits typiques sur place, visite du verger en groupe sur réservation, historique de l'emballage de la pomme, photos et accessoires antiques, dégustation, piste cyclable, auto-cueillette et emballage cadeau.

Mélina Dallaire avec son père Yves Dallaire
du Fumoir de Charlevoix.
Courtoisie photo Louis-Phillippe Néron

Chaudière-Appalaches

Restaurants :

- L'Ancien Presbytère
- Bangkok
- Crevettes Plus
- Déli Montois
- Délices de Thaïlande
- Lévina

****

Fromageries :

- Fromagerie Île-aux-Grues
- Fromagerie Port-Joli

Cidrerie :

- Cidrerie Saint-Nicolas

Boulangerie :

- La Bouchée de Pain

Hydromelleries :

- Entreprises Prince-Leclerc et ass.
- Produits biologiques la Fée

Producteur de petits fruits :

- Le ricaneux

Vignoble:

- Vignoble du Nordet

L'Ancien Presbytère

Gîte, restaurant Chaudière-Appalaches spéc. région.
58, Taché Est, St-Marcel (418) 356-5060

LA TABLE D'HOTE

Entrée au choix
Soupe ou potage

Choix de plats principaux de 12.95 à 30.95
Râble de lapin farci aux asperges et champignons
Suprême de canard au confit d'oignons
Brochettes de faisan
Caille aux framboises
Lapin à la sauce moutarde
Bourguignon aux trois viandes
Pigeonneau au cumin
Mignon de sanglier à l'érable
Aiguillettes de canard aux framboises
Escalopes de veau farcies au proscuitto et triple crème
Mignon de veau aux pommes et calvados
Brochettes de sanglier
Tourte de suprême de cailles au cognac

Dessert au choix

Bangkok

Restaurant Chaudière-Appalaches spéc. thaïland.
4, boul. Taché Est, Montmagny (418) 241-5278
Ouvert le midi et le soir du mar-ven et le soir les sam-dim.

TABLE D'HÔTE DU SOIR
Incluant soupe, rouleaux thaïlandais, dessert et café ou thé

Poulet sauté aux légumes et à la citronnelle	18.95
Crevettes sautées aux légumes et ananas	18.95
Crevettes et poulet sautés avec légumes et sauce	19.95
Crevettes et bœuf avec vermicelle et légumes	19.95
Crevettes et porc sautés aux légumes et poivrons	19.95
Fondue aux crevettes, bœuf et poulet avec riz	29.95

La Bouchée de Pain

Boulangerie Chaudière-Appalaches
45, rue Dorimène-Desjardins, porte 421,Lévis (418) 837-3006
Ouvert lun et mer de 6h-18h/jeu de 6h-20h/ ven de 6h-21h.

Pains de farine non-blanchie et non-traitée, pains garnis, pains intégraux biologiques, pains sucrés, viennoiseries, fougasses et autres boulanges.

Cidrerie Saint-Nicolas

Cidrerie/ferme de petits fruits Chaudière-Appalaches
2068, chemin Marie-Victorin, St-Nicolas (418) 836-5505
Ouvert pour des visites guidées toute l'année.

Cidre léger Le *Vire-Crêpe*, cidre fort *Vergers Saint-Nicolas*, cidre léger et pétillant *Pom'Or Tradition*, cidre fort et pétillant *Vergers Saint-Nicolas*, boisson alcoolisée légère, pétillante et aromatisée à la fraise et à la framboise *La Rosée*, boisson alcoolisée à la fraise et à la framboise *Campestris*.

Crevettes Plus

Restaurant Chaudière-Appalac. spéc. fruits de mer
848, Commerciale, St-Jean-Chrysostome(418) 834-2309
Ouvert le midi et en soirée du mar-ven/sam-dim 17h-22h.

LA TABLE D'HÔTE

Incluant dessert et café

Choix d'entrées
Potage du moment, escargots à l'ail, calmars panés, salade du chef, antipasto de la mer, feuilleté d'escargots, crevettes Buffalo et salsa, hareng mariné et crème sûre.

Choix de plats principaux

Fettucine aux fruits de mer	18.95
Assiette gourmande de crevettes	20.95
Cuisses de grenouilles à l'ail	20.95
Brochette de filet mignon, sauce au poivre	22.95
Ris de veau à la crème	23.95
Suprême de saumon et crevettes papillon	23.95
Pinces de Crabe des Neiges	24.95
Filet mignon et crevettes papillon	24.95
Crevettes géantes	26.95
Langoustines à la crème d'ail	28.95
Plateau de fruits de mer	33.95

Déli Montois

Restaur. Chaud-Appalac. spéc. grec./ fruits de mer
11, St-Jean-Baptiste Est, Montmagny (418) 248-1999
Ouvert le midi et en soirée et en soirée seulement l'été.

LA TABLE D'HOTE

Escargots bourguignons ou brocoli/fruits de mer au gratin
Potage

Choix de plats principaux

Agnoletti salsa rosa au gratin	12.95
Brochette de poulet ou souvlaki	13.95
Filet de saumon, coulis de crevettes	14.95
Filet mignon aux champignons et vin rouge	15.95
Filet de sole farci, sauce aux fruits de mer	16.95
Brochette de filet mignon, sauce au poivre vert	17.95
Assiette méditerranéenne (poulet et crevettes)	19.95
Assiette de crevettes et langoustines	20.95
Assiette de crabe des neiges	22.95
Assiette «Terre et mer»	23.95
Trio de crevettes garnies	24.95
Assiette du pêcheur	30.95

Café, thé ou tisane

Les Délices de Thaïlande 🍷

Restaurant **Chaudière-Appalaches** **spéc. thaïl/viet**
44, Route Kennedy, Lévis (418)838-2284
Ouvert tous les jours en soirée et le midi en semaine.

TABLE D'HÔTE

Incluant soupe au choix, dessert, café ou thé.

Choix d'entrées
Rouleaux impériaux (2)
Salade de crabe ou de poulet
Filets de poulets, sauce Satay

Choix de plats principaux

Porc sauté aux légumes avec sauce épicée	13.95
Poulet et légumes, sauce épicée aux 5 parfums	13.95
Poulet au cari rouge avec lait de coco	14.95
Bœuf au cari rouge avec lait de coco et basilic	14.95
Bœuf sauté au gingembre frais	15.95
Crevettes sautées aux légumes	17.95
Crevettes au basilic et pousses de bambou	17.95
Brochettes de bœuf, poulet et crevettes	17.95

TABLE D'HÔTE GASTRONOMIQUE

Incluant soupe au choix, rouleaux, tranches de porc sauce satay, salade de crevettes ou crabe, dessert, thé ou café

Choix de plats principaux

Crevettes et pétoncles, sauce épicée	36.95
Marmite de crevettes et pétoncles	36.95
Crevettes sautées aux légumes	36.95
Brochettes de crevettes	36.95

Entreprises Prince-Leclerc et ass.

Hydromellerie **Chaudière-Appalaches**
239, rang Haut de la Paroisse, St-Agapit (418) 888-3323
Téléphoner avant de se présenter. Visites de groupe.

Hydromel demi-sec *La Vieille Reine*, hydromel doux *Grande Virée*, hydromel aux framboises macérées *Ydaeus Ydromelia.*

Fromagerie Île-aux-Grues

Fromagerie **Chaudière-Appalaches**
210, chemin du Roy, ÎLe aux Grues (418) 248-5842
Ouvert du lun-ven 9h-17h et les sam-dim de juin à oct.

Fromages issus du terroir : fromage à pâte molle au lait cru le *Mi-carême;* fromages aromatisés; cheddar au lait cru; *Le Riopel de l'Île.*

Fromagerie Port-Joli

Fromagerie **Chaudière-Appalaches**
16, rue des Sociétaires (418) 598-9840
Ouvert à l'année, de jour, en semaine.

Fromage cheddar en bloc, fromage en grains, tortillons, fromage cheddar de chèvre, fromage en saumure, etc.

Produits Biologiques la Fée

Hydromellerie **Chaudière-Appalaches**
250, rang St-Édouard, St-Philibert (418) 228-7525
Ouvert à l'année. Visite guidée pour les groupes sur réservation.

Hydromel sec *Hydromel de la Fée*, hydromel sec à la framboise *Fantaisie de la Fée*, hydromel sec et gazéifié *Allégresse de la Fée.*

Le Ricaneux

Ferme de petits fruits **Chaudière-Appalaches**
5540, rang Sud-Est, St-Ch-de-Bellech. (418) 887-3789
Ouvert à l'année de 9h-18h. RSVP pour 10 pers. et plus.

Apéritifs, mousseux et liqueurs de petits fruits : fraises, framboises, amélanchiers, aronias, pimbinas.

Lévina

Restaurant Chaud.-Appal. spéc. vietnam. et thaï.
10, ave Begin, Lévis (418)833-9999
Ouvert tous les jours en soirée et du lun au ven le midi.

TABLE D'HOTE

Incluant soupe, rouleaux impériaux, dessert, thé ou café. Les plats sont servis avec du riz ou des vermicelles de riz.

Poulet au pot à la façon vietnamienne	12.95
Côtelettes d'agneau grillées	12.95
Cuisses de grenouille au curry	12.95
Crevettes sautées à la citronnelle	14.95
Nouilles sautées aux crevettes et pétoncles	16.95

MENU GASTRONOMIQUE #1 (pour 2 pers.) 38.95
Rouleaux impériaux et feuilletés au poulet et crevettes
Soupe du jour
Langoustines, crabe, cuisses de grenouilles, riz
Brochettes de poulet et nouilles au porc et légumes
Dessert, thé ou café

MENU GASTRONONIQUE #2 (pour 2 pers.) 40,95
Rouleaux impériaux et feuilletés au poulet et crevettes
Soupe du jour
Brochettes de fruits de mer, langoustine, riz et légumes
Cailles grillées, côtelettes d'agneau, brochette de poulet, brochette de bœuf et salade
Dessert, thé ou café

Vignoble du Nordet

Vignoble, cidrerie **Chaudière-Appalaches**
991, ch. des Îles, Pintendre (418) 833-7183
Ouvert à l'année tous les jours de 9h-18h.

Vin blanc *La Paruline*, vin rouge *Le Cardinal*, apéritif blanc *La Bise des Prés*. Au printemps: le cidre de glace *Le Fleuron*.

Côte-Nord

Gîtes / Auberges :

- Auberge de la Mingamie
- Auberge Pointe-Ouest
- Auberge de la Plongée de Les Escoumins
- Chalet Belle-Vue

Courtoisie: Michel Fournier, Sépaq Anticosti.

Auberge de la Minganie

Auberge de jeunesse **Côte-Nord**
3908, rte 138, entre Havre St-Pierre et Mingan (418) 538-1538
Ouvert du 15 juin au 15 octobre.
Accès au Parc national de l'Archipel de Mingan.

Les voyageurs peuvent acheter leur nourriture au Bonichoix ou au marché Richelieu à Havre St-Pierre, où se trouve aussi une succursale de la S.A.Q.; les voyageurs ont accès à la cuisine et à une salle à manger qui donne sur la mer. On apporte son vin si on le veut.

Courtoisie photo Andrew Thompson.

Auberge Pointe-Ouest

Auberge de villégiature **Côte-Nord**
Port-Menier, Île d'Anticosti (418) 535-0155
Ouvert du 1er juin au 30 novembre sur réservation

.Les voyageurs peuvent se procurer leur nourriture à la Coopérative C.C.I.A. de Port-Menier, se préparer un repas dans la cuisine de l'auberge et se servir dans la salle à manger. L'auberge a littéralement « les deux pieds dans la mer ». On y apporte son vin si désiré.

Activités : randonnées pédestres, pistes cyclables et visites guidées de l'Ile d'Anticosti.

Aquarelle de Louis Bernier (fragment).

L'Auberge de la Plongée de Les Escoumins

Gîte **Côte-Nord**
188, Marcellin Ouest, Les Escoumins (418) 233-3289
Repas pour les logeurs ou gens de l'ext. sur réservation.

MENU 8.00
Choix d'entrées
Choix de plats principaux
Choix de desserts

Aquarelle de Louis Bernier (fragment).

Chalet Belle-Vue

Résidences de tourisme **Côte-Nord**
52, rue du Fleuve, Les Bergeronnes **(418) 232-6233**
Ouvert de juin à octobre. Réservations demandées.

Chalets disposant d'une cuisinette vous permettant de préparer vos repas et d'apporter votre vin.

Aquarelle de Louis Bernier (fragment).

Gaspésie

Gîtes / Auberges :

- Auberge au Crépuscule
- Auberge du Château Bahia
- La Clé des Champs
- Auberge Les Deux Îlots
- Gîte Le Jardin de Givre

****

Fromagerie :

- Ferme Chimo

Boulangerie :

- Le Fournand

Hydromellerie :

- Vieux Moulin

Courtoisie photo Auberge Les Deux Îlots.

Auberge au Crépuscule 

Gîte **Gaspésie** **spéc. rég. et fruits de mer**
239, rue Notre-Dame O, Cap-Chat (418)786-5751
Ouvert juin à oct. Sur réserv. Pour logeurs seulement.

TABLE D'HOTE 25$

Soupe du jour
Gratin de fruits de mer
Salade
Dessert du cuisinier aux fruits de la saison
Thé, café, tisane

Auberge du Château Bahia

Auberge de jeunesse (1 à 99 ans) **Gaspésie**
152, boul. Perron, Pointe-à-la-Garde (418) 788-2048
Il est préférable d'appeler pour réserver.
Jean Roussy, le châtelain, vous reçoit dans son château

Accueil de soutien en immersion pour l'allemand, si désiré.

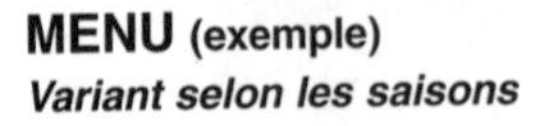
MENU **(exemple)**
Variant selon les saisons

pers. de l'ext. 15.00
logeurs 12.00

Plats de résistance (poissons, viande ou fruits de mer)
Salade composée
Gâteau maison aux petits fruits

La Clé des Champs

Gîte **Gaspésie** **spéc. fruits de mer**
254, Route 132 Est, Hope Town (418) 752-3113
Pour logeurs seulement. Sur réservation. Min 4-6 pers

TABLE D'HOTE

Entrée de crevettes

Salade composée
Fruits de mer en saison 25.00
Homard 30.00

Assiette de fromages de la Ferme Chimo

Dessert aux fruits de saison

Le Fournand

Boulangerie **Gaspésie**
146, route 132, Percé (418) 782-2211
Ouvert du début mai à la fin oct tous les jours de 7h-20h.

Pain fait de farine naturelle, pain aux raisins, pains aux olives, pain croûté français, fougasses, viennoiseries maison.

Auberge Les Deux Îlots

Gîte **Gaspésie** **spéc. franç. et fruits de mer**
207, route 132, Newport (418) 777-2801
Repas pour logeurs de mai-oct / Sur demande de nov-avr.

TABLE D'HOTE

Enfant : 10.00
Adulte : 20.00

Choix d'entrées
Pâté de volaille aux pistaches
Chèvre-chaud *Chimo*
Assiette du fumoir
Velouté du quai
Potage du jour
Verdurette du marché

Choix de plats principaux
Crabe des neiges nature
Morue pochée aux agrumes
Poêlée de pétoncles au vermouth blanc
Linguine sauce aux moules et cari
Sauté de volaille aux légumes
Entrecôte sauce bordelaise

Auberge Les Deux Îlots (suite)

Choix de desserts
Tarte aux pommes grand-mère
Gâteau sauce anglaise
Pudding aux petits fruits
Sorbet lime et citron
Gâteau au fromage et coulis

Thé, café, infusion

Ferme Chimo

Fromagerie **Gaspésie**
1705, de Douglas, Douglastown (418)368-4102
Comptoir ouvert à l'année de 8h30-18h. Visites guidées.

Fromagerie fermière offrant des produits de chèvre, dont le fromage et le yogourt.

Gîte Le Jardin de Givre

Gîte **Gaspésie** **spéc. régionales et franç.**
3263, route du Peintre, Matane, St-Léandre (418) 737-4411
Soupers du ven-dim de 18h-21h pour logeurs sur réserv.

TABLE D'HOTE 23.00

Choix d'entrées
Mousse de foie de volaille à la pistache
Crème de chou-fleur au cari

Choix de plats principaux
Truite farcie aux herbes du jardin
Pesto maison aux olives noires avec basilic du jardin
Gratin aux fruits de mer

Choix de desserts
Gâteau de courgettes, sauce au rhum
Renversé à la rhubarbe et à l'ananas

Vieux Moulin

Hydromellerie **Gaspésie**
141, route de la mer, Ste-Flavie (418) 725-8383
Ouvert toute l'année pour visite et dégustation.

Vin de miel sec *Vieux Moulin*, vin de miel demi-sec *Vieux Moulin*, vin de miel demi-sec avec framboises *Vieux Moulin*.

Aquarelle de Louis Bernier (fragment).

Aquarelle de Louis Bernier (fragment).

Îles de la Madeleine

Restaurant :

- Au Quai de l'Anse

Gîte / Auberges :

- L'Aquarelle
- Auberge Internationale des Îles de la Madeleine
- Les Îles des Vents

****

Fromagerie :

- Fromagerie du Pied-De-Vent

Boulangeries :

- Boulangerie Madelon
- Boulangerie Régionale des Îles

Fumoir :

- Fumoir d'Antan

L'Aquarelle

Gîte Iles de la Madeleine
66, Ch. des Fumoirs,
Havre-Aubert
(418) 937-5908

Accueil de soutien pour le français en immersion si désiré.

Nuitées et petits déjeuners
Compris, sur réservation.
Ouvert à l'année.

Maison de 128 ans (en 2001) où l'accueil chaleureux et les arts se côtoient. Lieu de repos et de plaisir situé directement devant la mer de la baie du Havre-Aubert. Vue magnifique sur le «site historique de la Grave» (le vieux Ile de la Madeleine) où l'on se rend à pied en quelques minutes seulement.

- Musée de la mer
- Quai des pêcheurs
- L'Aquarium
- Quai des plaisanciers
- Quai des pêcheurs
- Café de la Grave
- Théâtre du Vieux Treuil
- Boutique d'artisans

À proximité de la fameuse plage et dune du «Bout blanc»:
- Des Artisans du Sable
- De la Baraque (sculpture sur pierre d'albatre)
- De l'équitation
- Des sports du vent et de la mer

L'Aquarelle (suite)

Point de départ pour visiter tout l'archipel. La mer toujours présente au visiteur offre des paysages variés d'une grande beauté : plages à perte de vue, dunes, buttes, vagues, oiseaux, etc.

Trois chambres à occupation simple ou double dont le prix inclut un déjeuner délicieux, santé et copieux.

Occupation simple : 55.00 Occupation double : 65.00

(70.00 en 2002)

Les chambres sont à l'étage avec vue sur la mer ou côté jardin (avec une salle de bain commune) et possèdent télévision câblée, contrôle de chauffage, matelas grand confort.

Navette à l'aéroport pour les réservations de 7 jours et plus.

Prix réduits en hors saison (1er sept. au 15 juin) selon la date et la durée du séjour.

Auberge Internationale des Îles de la Madeleine

Auberge de jeunesse (1-99 ans) Iles de la Madeleine
74, ch. du Camping, L'Étang-du-Nord (418) 986-4505
Ouvert de la fin mai à la fin sept. 1-800-461-8585

Les logeurs ont un accès à une cuisine où ils peuvent se préparer un repas; ils trouveront plusieurs produits du terroir aux adresses incluses dans cette section. Ils peuvent apporter leur vin.

Au quai de l'anse

Restaurant Île de la Mad. spéc. fruits de mer et pois.
20, chemin de L'Anse-à-la-Cabane, Bassin
(418) 937-5346
Ouvert 7 jours les midis et les soirée.

TABLE D'HÔTE

Servie avec soupe et dessert

Pot en pot aux fruits de mer	19.95

LES ENTRÉES

Les coques panées	4.75
Les pétoncles au beurre ou panés	7.50

Au quai de l'anse (suite)

Les salades

Salade du chef	5.25
Salade au homard	10.75

Les poissons

Tous les plats sont servis avec légumes et pommes de terre

Pâté de saumon	6.75
Coquille St-Jacques	9.50
Crêpe aux fruits de mer	17.95
Assiette " Délices de la mer "	19.50
Pétoncles au beurre	12.95
Filet de sole	11.50
Filet de morue	10.50
Riz au homard	10.95
Club au homard	17.95
Sandwich au homard	9.95

Les desserts

Choix de tartes et gâteaux	2.75

Madelon

Boulangerie **Iles de la Madeleine**
355, ch. Petit pas, Cap-aux-Meules (418) 986-3409
Ouvert du lun-ven de 7h-21h et les sam-dim de 8h-19h.

Pains, fromages, charcuteries, pâtisseries, plats cuisinés, pot-au-pot aux fruits de mer, etc.

Boulangerie Régionale des Îles

Boulangerie **Iles de la Madeleine**
1227, chemin La Vernière (418) 986-3615
Ouvert l'été : lun-ven 6h-21h, sam 7h-18h, dim 12h-17h.

Pains variés, pâtisseries, gâteaux, tartes, pâtés, plats cuisinés, pot-en-pot aux fruits de mer, etc·

Fromagerie du Pied-De-Vent

Fromagerie **Iles de la Madelaine**
149, ch Pointe-Basse, Hav.-aux-Maisons (418)969-9292
Ouvert à l'année.

Fromage au lait de vache *Le Pied-de-Vent* et prochainement *Le jeune cœur.*

Fumoir d'Antan

Fumoir de hareng **Iles de la Madeleine**
27, chemin du Quai, Pointe-Basse (418) 969-4907
Ouvert tous les jours de 8h-17h.

Hareng boucané, fumé, nature ou mariné de manière traditionnelle. Produits vendus sur place et emballés en portions individuelles.

Les Iles des Vents

Résidences de tourisme **Iles de la Madeleine**
811, route 199, Grande-Entrée (418) 986-3139
Ouvert à l'année.

Maisons ou appartements disposant d'une cuisinette équipée vous permettant de préparer vos repas et d'apporter votre vin.

Aquarelle de Louis Bernier.

L'Île des Moulins, Terrebonne, Lanaudière.

Lanaudière

Restaurants :

- Le Lotus d'Or
- La Porte Grecque
- Piccolo
- Siam Thaï
- Le Trianon

Tables :

- L'Arôme des bois
- L'Érablière d'Autrefois
- Goût de Campagne

Érablières :

- Friand-Érable Lanaudière
- Vinerie du Kildare

****

Vignoble :

- Domaine de l'Île Ronde

Fromagerie :

- Fromagerie les Trois Clochettes

Boulangerie :

- Boulangerie St-Esprit

Producteur de petits fruits :

- Ferme Guy Rivest
- Ferme L.N. Dutil

L'Arôme des bois

Table **Lanaudière** **spéc. régionales**
8095,ch Morgan, Camp Mariste, Rawdon (450)834-3980
Ouvert du lun-sam. Min 12 pers.

CHOIX DE 10 MENUS THÉMATIQUES
Exemple de menu « le festin forestier » 35.00$

Entrée
Gravlax de truite à la pruche
Croûte aux rognons de sanglier et champ. sauvages

Potage
Chaudrée de têtes de violon

Plat principal
Filet de caribou à la gelée de cèdre

Salade
Salade de légumes sauvages et sa vinaigrette

Assiette
Assiette de fromages régionaux accompagnés de fruits et de gelée de petits fruits sauvages

Dessert

Boulangerie St-Esprit

Boulangerie **Lanaudière**
33, rue Principale, St-Esprit (450) 839-2324
Ouvert du lun au sam de 7h-19h et les dim de 9h-19h.

Pains naturels du terroir : pain *belge*, pain de fesse Jacobin, baguette, *kamut* (pain noir), pain *nigel*, pain d'*épautre* ; sur commande, pizza aux olives, fines herbes, oignons et tomates.

Domaine de l'Ile Ronde

Vignoble **Lanaudière**
Île Ronde, face à St-Sulpice (route 132) (415) 823-4890
Ouvert à l'année de 9h-18h. Appeler avant de se rendre.

Un vin blanc *Domaine de l'Ile Ronde*; un vin rouge *Domaine de l'Ile Ronde;* et à l'été 2002 un vin rosé.

Le Vignoble du Domaine de l'Île Ronde occupe environ la moitié de l'Île Ronde située en face du village de Saint-Sulpice. Un microclimat très particulier est créé par la chaleur dégagée par la masse d'eau que constitue le Fleuve Saint-Laurent à cet endroit.

En plus, les différents types de sol, qui s'étagent pour nourrir la vigne, favorisent l'épanouissement des plants de vigne.

L'Érablière d'Autrefois 🍷

Table, érablière **Lanaudière** **spéc. rég. et gibier**
560, montée Sainte-Marie, L'Assomption (450)588-0165
Mai à fev. : repas champ. sur réserv. 37$ à 41$/pers.
Mars à avril : repas de cabane à sucre 13$ à 16$/pers
Minimum 8 personnes.

MENU REPAS CHAMPÊTRE

Choix d'entrées
Pâté de faisan au poivre vert et compote de fruits
Cerf au sésame et rhum, sauce canneberge
Pâté de cerf au cognac et confit de petits fruits
Mousseline de canard à la crème de poireaux

Choix de potages
Velouté de pousses de tournesol au thym frais
Potage de verdure
Crème saisonnière
L'Assiette de verdure et vinaigrette balsamique
Granité au calvados

Choix de plats principaux
Rôti de chevreuil à la poire et au vin rouge
Suprême de faisan au sabayon d'épinards
Mijoté de chevreuil à la moutarde et pomme
Roulade de veau à la mousse de volaille

Le Plateau de fromages de Lanaudière

L'Assiette Gourmandise

Café, thé, tisane

Ferme Guy Rivest

Ferme de petits fruits **Lanaudière**
1305, rue Laliberté, Rawdon (450) 834-5127
Ouvert à l'année.

Boisson alcoolisée aux fraises (sec ou demi-sec) *La Libertine*, boisson alcoolisée aux fraises (demi-sec) Le Libertin.

Ferme L.N. Dutil

Ferme de petits fruits **Lanaudière**
2272, rue de la Vérendrye, Mascouche (450) 474-5569
Il est préférable d'appeler avant de se rendre.

Boisson alcoolisée aux bleuets et fraises *Poète des Champs*, apéritif aux fraises et framboises *Marianne des Moulins.*

Friand-Érable Lanaudière

Érablière **Lanaudière**
189, rang Guillaume-Tell, St-Jean-de-Matha (450) 886-3614
Ouvert à l'année, mais il est préférable d'appeler avant.

Boisson douce alcoolisée à l'érable *Le Tonnelier* et vin sec de table *Le Petit réduit.*

Fromagerie les Trois Clochettes

Fromagerie **Lanaudière**
840, rg Rivière S, St-Roch-de-l'Achigan (450)588-5080
Il est préférable d'appeler avant de se rendre.

Fromages : *Le Cœur de pomme* à pâte molle, compacte, bien homogène, crémeuse en bouche; *Le Saint-Roch* à pâte molle, compacte et fondante; *Le Chef d'Oeuvre* à pâte molle compacte et homogène.

Les berges de St-Sulpice.

Goût de Campagne

Table **Lanaudière** **spéc. régionales**
3781, rang St-Pierre, St-Félix-de-Valois (450) 889-4202
Réservation requise. Min 8 pers., max 12 pers.

MENU 6 services : 39.00$ 7 services : 45.00$

Potage à la paysanne

Terrine de veau en gelée aux petits légumes

Granité à la lime

Rôti de veau mariné aux fines herbes, servi avec pommes de terre boulangères, courges d'été à la crème sûre et betteraves sucrées à l'orange.

Salade verte, assaisonnée d'une vinaigrette maison

Assiette de fromage au lait cru de la région

Choix de dessert
Croustade aux pommes, sauce au caramel
Pots de crème
Gâteau nuageux au chocolat

Le Lotus d'Or

Restaurant **Lanaudière** **spéc. viet. et thaïl.**
879, Chartrand, Terrebonne (450) 471-6900
Ouvert le midi du mar au vend et en soirée du mar au dim.

SPÉCIALITÉS VIETNAMIENNES

Poulet sauté aux légumes et gingembre	8.50
Poulet du général Tao	8.95
Bœuf au cari jaune épicé et légumes variés	8.95
Nid d'amour aux crevettes et poulet	8.95
Crevettes au brocoli et champignons	9.50

SPÉCIALITÉS THAÏLANDAISES

Poulet au cari rouge avec lait de coco	8.50
Bœuf au style thaïlandais	8.95
Crevettes et calmar aux légumes	10.50
Calmar style thaïlandais	10.50
Canard BBQ sauté avec piments au basilic	12.50

La Porte Grecque

Restaurant **Lanaudière** **spéc . grecques**
1900, Visitation, St-Charles-Borromée (450) 759-8999
Ouvert tous les jours de 11h-23h.

TABLE D'HÔTE

Choix d'entrées
Soupe, artichauts, escargots, tourte ou feuilles de vignes

Choix de plats

Assiette de deux souvlakis	13.95
Steak de poulet	13.95
Filet médaillon	13.95
Filet de saumon frais de l'Atlantique	13.95
Assiette de cuisses de grenouille	14.95
Shish kebab	14.95
Côtelettes d'agneau	14.95
Brochette de pétoncles	16.95
Filet mignon maison	16.95
Filet mignon avec crevettes grillées	19.95
Brochette de poulet avec crevettes grillées	19.95
Brochette de pétoncles avec crevettes grillées	19.95

Choix de desserts
Baklava, gâteau ou crème caramel

Piccolo

Restaurant **Lanaudière** **spéc. ital. et franç.**
819, St-François-Xavier, Terrebonne (450) 492-0873
Ouvert du mercredi au dimanche en soirée.

EXEMPLE DE MENU

Potage du maraîcher
Croustillant de volaille ou salade mesclum

Choix d'entrée

Pâtes fraîches sauce aux palourdes à la crème	4.50
Terrine de veau noisette	5.50

Pause glacée

Choix de plats principaux

Pâtes farcies, sauce tomate et olives	22.95
Filet de porcelet à la mangue	25.95
Flétan poêlé sauce crémeuse aux endives	26.95
Filet de bœuf rôti au vin rouge et fines herbes	30.95
Steak de caribou aux betteraves et au poivre vert	32.95

Délice aux fruits sur crème anglaise et café, thé ou tisane

Piccolo (suite)

MENU DÉGUSTATION 41.00

Terrine de bison et sa gelée de porto
Roulade de sole à la créole
Demi-caille et son risotto safrané
Pause glacée
Mignon de veau, sauce au poivre mentholé
Salade et fromages
Délice aux fruits et sa truffe de chocolat
Thé, café ou tisane

Siam Thaï

Restaurant **Lanaudière** **spéc. thaïlandaises**
514-14 boul. Iberville, Repentigny (450) 654-4314
Ouvert le midi du mar au ven et le soir du mar au dim.

LES SOUPES

Fruits de mer et lait de coco	3.50
Pimentée aux crevettes et citrouille	3.50

LES PLATS PRINCIPAUX

Poulet sauté aux champignons, sauce citronnelle	7.50
Crevettes sautées aux ananas et champignons	10.25
Brochette de crevettes avec salade et riz parfumé	10.25
Fruits de mer sautés au cari rouge et lait de coco	11.25
Fruits de mer grillés et riz parfumé	11.25

LES DESSERTS

Fruits Jacquier	1.95
Ramboutan farci aux ananas	1.95

Le Trianon

Restaurant **Lanaudière** **spéc. françaises**
411, Notre-Dame, Repentigny (450) 582-3376
Ouvert du mardi au dimanche en soirée sur réservation.

LA TABLE D'HÔTE

Servie avec crème Deschamps, cappucino de maïs au caramel de poireaux, salade mélangée, fondant de foies de volaille à l'hydromel

Gnocchi au fromage Ermite de St-Benoît	22.95
Blanquette de veau mijoté à l'ancienne	24.95
Rognons de veau champignons et crème	27.95
Mignon de porcelet, cochon sauce Gorgonzola	27.95
Médaillons de filets d'agneau sauce fines herbes	28.95
Magret de canard, sauce aux framboises	28.95
Silure d'Amérique aux épices	29.95
Saumon cuit sur cèdre et mariné au whisky	30.95
Aiguillettes d'autruche au vinaigre de framboise	36.95

DESSERT

Crème brûlée aux deux chocolats	2.95

Vinerie du Kildare

Érablière **Lanaudière**
3996, rang Kildare, Rawdon (450)756-1525
Il est préférable d'appeler avant de se rendre.

Boisson douce alcoolisée à l'érable *L'Esprit d'Érable.*

Vignes du Domaine de l'Île Ronde.

Le Moulin Légaré et le Musée des Patriotes à Saint-Eustache (à droite).

Laurentides

Restaurants :

- Les Ailes du Palais
- Arthémis Souvlakis
- Bayon
- Le Bistro St-Sauveur
- Chez Lien
- Le Christiane
- Maserio
- Pizzaiolo
- Rôtisserie Fusée
- Le Vieux Rosemère

Tables :

- Au Pied de la Chute
- Basilic et Romarin
- Les Fleurs de Lys
- Les Rondins

Auberge et Gîtes:

- Auberge Chalet Beaumont
- La Belle Chathamoise
- La 5e saison

Cabane à sucre :

- Chez Francine et Gilbert Éthier

Courtoisie photo: Au Pied de la Chute.

Vignobles :

- Vignoble de la Rivière-du-Chêne
- Vignoble des Négondos

Fromagerie :

- Fromagerie du P'tit Train du Nord

Cidreries :

- Verger du Parc
- Les Vergers Lafrance
- Le Verger Lamarche

Boulangerie :

- Boulangerie du Vieux Saint-Eustache
- La Huche à pain

Hydromelleries :

- Ferme Apicole Desrochers
- Intermiel

Ferme :

- Nid'O Truche

Au Pied de la Chute

Table **Laurentides** **spéc. régionales**
273, route 329, Lachute (450) 562-3147
Ouvert tous les jours sur réservation (pour de 6-28 pers.)

TABLE D'HÔTE 35.00-39.00

Amuse-bouche de bienvenue

Choix d'entrées
Rillettes de cochonnet aux herbes du jardin et marmelade
Feuilleté de champignons de nos sous-bois
Salade gourmande au confit de pintade et canard séché

Choix de soupes
Velouté de poireaux, crème fouettée à la ciboulette
Crème de carottes et rabioles

Choix de plats principaux
Civet de lapereau, sauce fumée aux pruneaux
Poitrine de pintade rôtie aux champignons et sauge
Chapon braisé, crème à la moutarde et coriandre
Navarin de daim aux pommes et canneberges
Buisson de verdure et raclette d'Argenteuil à l'érable

Choix de desserts
Tarte aux fruits et amandes et coulis
Crousti-fondant poires-chocolat →

Au Pied de la Chute (suite)

Méchoui en Fêtes
35.00

Plateau de crudités/ sauce
Merguez maison grillées
Brochet.d'abats marinées
Bar à pain, beurres variés
Agneau, porcelet et/ou poulet en tournebroche
Pommes de terre
Buffet de salades variées
Fromages frais régionaux
Plateau de fruits frais
Choix de desserts maison
Café, thé ou infusions

Les Ailes du Palais

Restaur. Laurentides spéc .franç, gibier, frts de mer
13,747 Boul. Labelle, (St-Janvier) Mirabel(450) 435-1680
Ouvert du mar au ven le midi et mar au sam en soirée.

TABLE D'HÔTE (ven et sam soir) 5 services

Incluant soupe du jour ou jus de légumes, salade du chef ou César, dessert et café, thé ou infusion

Brochette de crevettes	12.99
Sole farcie aux pétoncles et crabe	19.99
Truite saumonée du jour	19.99
Brochette d'autruche	19.99
Escalope de sanglier sauce noisette	21.99
Ballotin de caille aux raisins	24.99
Filet d'autruche en sauce	24.99
Escalope de sanglier au cognac	24.99
Lapin sauce aux pommes et menthe	24.99
Magret de canard sauce moutarde	24.99
Faisan sauce aux quatre fruits	25.99
Steak de caribou sauce aux trois poivres	25.99

Arthémis Souvlakis

Restaurant **Laurentides** **spéc. grecques**
51A, rue St-Vincent, Ste-Agathe (819) 321-0222
Ouvert tous les jours en soirée.

LES PLATS PRINCIPAUX

Servis avec salade, riz et pommes de terre

Souvlaki au poulet sur pita	8.45
Côtelettes de porc	10.95
Filet de poulet	11.95
Assiette de calmars frits	12.95
Brochette de filet mignon	13.95
Côtelettes d'agneau	14.95
Steak de surlonge	16.95

Auberge Chalet Beaumont

Augerge de jeunesse (1-99 ans)
Laurentides
1451, rue Beaumont, Val-David (819) 322-1972

Un chalet en bois rond typique des Laurentides vous accueille dans un paysage de détente propice aux activités de plein air. Un accès cuisine vous permet de préparer un repas et d'apporter votre vin. Activités sportives: ski, vélo et escalade.

Basilic et Romarin

Table **Laurentides** **spéc. franç. et rég.**
12, bld. Normandin, Ste-Anne-des-Plaines(450)838-9952
Petits groupes de 2, 4 ou 6 pers. sur réservation.

MENU 45$

Choix d'entrées froides

Rillettes de lapin aux noisettes, mousse aux deux saumons, gravlax à la lime et à la coriandre ou mousse de légumes sur coulis aux poivrons rouges

Choix de potages

Zucchini/basilic, concombre/coriandre, laitue/épinards

→

Basilic et Romarin (suite)

Choix d'entrées chaudes
Salade tiède au chèvre chaud, feuilleté de fruits de mer, pâté de lapin en croûte sur coulis de champignons, feuilleté de mousse de foies de pintade sur coulis d'oseille ou tourte de pintade et d'amandes

Granité
Au vin blanc, vin rouge et romarin ou canneberges

Choix de plats principaux
Lapin aux abricots avec pâtes persillées
Pintades farcies, sauce à l'orange et aux canneberges
Lapin farci (courgette et pacanes), sauce à l'estragon
Filet de saumon teriyaki avec riz rouge
Caille désossée, farcie au riz sauvage avec oignons

Choix de desserts
Gâteau à la mousse d'érable, marquise au chocolat, gaufrette farcie de crème glacée ou tarte aux pommes

La Belle Chathamoise 

Gîte, repas champêtre Laurentides spéc. rés.
302, ch. Rivière-du-Nord, Brownsburb-Chatam 1-877-562-5353
Ouvert à l'année. Repas pour les groupes de 8-12 pers.

REPAS CHAMPÊTRE 30.00
Le menu peut varier selon la saison
Potage crémeux d'antan
Entrée pionnière du temps jadis
Dinde bio fumée ou côtelettes de porc fumées à l'érable
Patates bio persillées d'autrefois et oignons dorés
Tarte au sirop d'érable des ancêtres et café, tisane ou thé

Bayon

Restaurant **Laurentides** **spéc. camb, viet et thaïl.**
281, boul. Labelle, Rosemère (450) 971-1243
Ouvert tous les jours le midi et en soirée.

LES PLATS PRINCIPAUX

Bœuf au brocoli	8.95
Nouilles d'Asie au bœuf ou poulet	8.95
Poulet ou porc Kroeung Khmer	8.95
Poulet Mékong	8.95
Crevettes parfumées	10.95
Crevettes Mékong	10.95
Ailes orientales	10.95
Nouilles croustillantes et crevettes	11.95

TABLE D'HÔTE (en soirée) 15.95
Inclue soupe, rouleau, plat principal, dessert, thé ou café

Le Bistro St-Sauveur

Restaurant **Laurentides** **spéc. françaises**
146, rue Principale, St-Sauveur (450)227-1144
Ouvert en soirée. Fermé du dim-lun en hiver.

LES ENTRÉES

Escargots à l'ail au Bleu Fondant	6.25
Feuilleté d'asperges et crevettes	6.25
Chèvre tiède	6.25
Gratin de saucisse italienne, sauce tomate séchée	6.25
Reblochon frit, raisins rouges et noix de Grenoble	6.25

LES PLATS PRINCIPAUX

Farfalle aux saucisses et poivrons, sauce tomate	14.95
Moules aux poivrons trois couleurs, sauce marina	14.95
Tortellini au veau, sauce crème et havarti	14.95
Farfalle aux crevettes et palourde, sauce rosée	15.95
Suprême de volaille, sauce à l'estragon frais	17.95
Foie de cerf, sauce Porto	17.95
Émincé de veau, sauce forestière	18.95
Filet de mai-mai poêlée, sauce Vermouth	19.95
Éventail d'entrecôte, sauce au fromage bleu	20.95
Grosses pétoncles, sauce au vin blanc et câpres	21.95

Chez Francine et Gilbert Éthier

Cabane à sucre **Laurentides**
7766, rg St-Vincent, St-Benoit-de-Mirabel
(450) 258-4135
Ouvert de mars-avril, sur réservation seulement.

MENU

Soupe au pois

Omelette, jambon, bacon, oreilles de crisse, fèves au lard, patates rôties et marinade maison

Tarte au sirop d'érable, grand-père, mousse à l'érable, crêpes et œufs dans le sirop d'érable.

Thé, café

Activités : Tire sur la neige, promenade dans les sentiers de l'érablière, à pied ou en voiture tirée par un tracteur ainsi que fonctionnement de l'érable et des étapes de transformation de la sève.

Produits de l'érable en vente : sirop, tire, beurre d'érable, sucre mou, sucre dur, cornets de tire recouverts de sucre et tartes au sirop.

Samedi soir :

Adulte (12 ans et plus)	17.00
Enfant de 6 ans et plus	8.50
Enfant de 2 à 5 ans	1$ par année d'âge

Chez Francine et Gilbert Éthier (suite)

Vendredi soir, samedi midi, dimanche :

Adulte (12 ans et plus)	16.00
Enfant de 6 ans et plus	8.00
Enfant de 2 à 5 ans	1$ par année d'âge

En semaine :

Adulte (12 ans et plus)	13.00
Enfant de 6 ans et plus	6.50
Enfant de 2 à 5 ans	1$ par année d'âge

Chez Lien

Restaurant Laurentides spéc. vietnamiennes
132, Labelle, Rosemère (450) 971-0995
Ouvert tous les jours le midi et en soirée.

LES ENTRÉES

Salade à la vietnamienne	2.50
Rouleau du printemps	2.50

LES BROCHETTES

Brochettes de poulet (2) salade et riz	7.95
Brochettes de crevettes (2) salade et riz	8.95

LES SOUPES-REPAS

Soupe-repas tonkinoise	4.95
Soupe-repas au poulet	4.95
Soupe-repas aux crevettes	6.95

LES SPÉCIALITÉS

Plat végétarien de légumes sautés	6.95
Crevettes sautés aux légumes	9.95
Poulet au gingembre, salade et riz	7.95
Bœuf au gingembre, salade et riz	7.95
Poisson sauté au gingembre	9.95
Crevettes panées	8.95

LES DESSERTS

Bananes ou ananas frits	2.25
Coupe de Lychee	2.25

Le Christiane

Restaurant Laurentides spéc. poiss. et fruits de mer
151, rue Vaillancourt, St-Jérôme (450) 436-9904
Ouvert du mar au ven, le midi et soir. En soirée, le sam.

LES ENTRÉES

Bisque de homard	3.95
Saumon fumé	7.95
Coquille St-Jacques	7.95

LES PLATS PRINCIPAUX

Linguine au saumon fumé	9.95
Filet de doré amandine	15.95
Filet de saumon à la fondue de bleuets	15.95
Langoustines grillées, sauce à l'ail	29.95
Assiette du pêcheur	29.95

LA TABLE D'HOTE

Incluant potage du jour et salade verte

La pêche du jour	20.95
Rognons de veau, sauce champignons et cognac	22.95
Mignon de porc à la Normande	23.95
Crevettes grillées au parfum de pernod	23.95
Suprême de poulet et crevettes, sauce au poivre	24.95
Noix de pétoncles, amandes et ail	24.95
Feuilleté des Iles	26.95
Assiette de l'océan	32.95

Ferme Apicole Desrochers

Hydromellerie **Laurentides**
113, rang 2 Gravel, Ferme-Neuve (819) 587-3471
Il est préférable d'appeler avant de se rendre.

Hydromel doux et vieilli en fût *Cuvée du Diable*, hydromel sec et vieilli en fût *L'Envolée*, hydromel sec aux framboises *L'Envolée.* Aussi, grande variété de miels aux arômes du terroir: trèfle, menthe, sarrasin, fleurs d'été, fleurs sauvages.

Fromagerie du P'tit Train du Nord

Fromagerie **Laurentides**
624, boul. Paquette, Mont-Laurier (819) 623-2250
Ouvert lun-mer 8h30-18h/jeu-ven 8h30-20h/sam 8h-17h/dim 11h-17h.

Le cheddar artisanal et le *Windigo*, un fromage fin fait de lait pasteurisé.

Boulangerie du Vieux Saint-Eustache

Boulangerie **Laurentides**
295, rue St-Eustache, St-Eustache (450) 472-8001
Ouvert du lun-vend de 9h-18h / sam-dim de 10h-17h.

Miche, fesse, baguette, pain belge, pain au fromage, pain de seigle, pain à la farine d'épeautre, foccacia, pain aux tomates, fougasse aux olives, pain intégral bio, etc.

Les Fleurs de Lys

Table Laurent. spéc. franç., provenç., louis. et rég.
Deux sites sont disponibles pour cette table; soit un vignoble au 7100, St-Vincent, soit une cabane à sucre au 7766, rang St-Vincent (sauf la saison des sucres) à St-Benoît de Mirabel. Sur réservation pour un minimum de 10 pers. Tél : (450) 974-0923

MENUS DE PROVENCE/QUÉBEC (exemples)

Menu 7 ou 9 services 39.50/48.00

Potage provençal aux légumes de saison
ou salade aux multiples couleurs, vinaigrette Luberon

Terrine régionale Fleur-de-lys et ses condiments

Granité aux agrumes Jardin de Givre

Choix de plats principaux pour le 7 services
Choix de demi-plats pour le 9 services
Accompagné d'un gratin dauphinois, de pommes de t. duchesse, d'une timbale de riz ou de pâtes, et de petits lég.
Canard Haute-Provence aux olives
Poulet braisé Manosque à l'aneth et citron
Paupiettes de veau, sauce forestière
Lapin d'Avignon à la moutarde
Caille farcie des Alpilles, sauce au vin et champignons*
**sauf pour le 9 services*

Les Fleurs de Lys (suite)

Choix de plats principaux pour le 9 services

Accompagné d'un gratin dauphinois, de pommes de t. duchesse, d'une timbale de riz ou de pâtes, et de petits lég.

Ragoût d'agneau aux saveurs provençales
Pintade farcie au fromage, sauce tomate, câpres et olives
Saucisse d'Aquitaine au vin blanc et sauge
Filet de porc, câpres et tomates séchées
Caille farcie des Alpilles, sauce au vin et champignons

Assiette de fromages Gâteau secret jour et nuit

Café, infusion ou thé

MENU DE LA LOUISIANNE DES CAJUNS

Menu 7 services 42.00

Soupe Gumbo (poulet, échalottes, merguez sur riz)
ou salade verte, maïs, oignons rouges, vinaigrette créole
Terrine de foie de volaille et ses condiments épicés
Granité aux agrumes aux saveurs de l'Acadiana

Choix de plats principaux

Accompagné de salade aux choux «Bayou Lafourche», de salade aux légumineuses cajun ou d'une timbale de riz

Poulet à la créole, sauce tomatée épicée-sucrée
Jambalaya de crevettes ou poulet et poivrons colorés
Crevettes à la diable cajun, sauce tomate relevée

Assiette de fromages Gâteau caché «j'aime-à-toi»

Café, thé ou infusion

Intermiel

Hydromellerie, miellerie **Laurentides**
10 291, chemin La Fresnière, St-Benoît (450) 258-2713
Ouvert tous les jours à l'année 9h-18h.
Sur réservation: visite guidée, dégustation des produits de la ruche, observation de ruches vivantes.

Hydromel *sec Bouquet Printanier*, hydromel demi-sec *Mélilot*, hydromel doux *Verge d'Or*, hydromel extra-doux *Benoite*, mistelle aux bleuets et framboises *Jardins Mellifères.*

Une variété de miels: miel de trèfle, luzerne, pommiers, framboisiers, tilleul, sarrasin, verge d'or, fleurs sauvages; aussi une gelée royale.

Nid'O Truche

Ferme d'élevage d'autruches **Laurentides**
825, ch. Fresnière, St-Eustache (450) 623-5258
Boutique ouverte sam-dim de 12h-16h. Visite d'avril-oct.

Vente de viande d'autruche, terrine, etc. Boutique cadeaux sur place. Visites guidées disponibles sur réservation.

Maserio

Restaurant Laurentides spécialités italiennes
1008, boul. Lachapelle, St-Antoine (450) 436-3636
Ouvert tous les jours en soirée.

LES SALADES

Salade César et poulet grillé (grosse)	8.95
Salade de crevettes et légumes frais (grosse)	8.95
Salade de saumon (grosse)	7.95

LES PÂTES

Ravioli sauce à la crème et fromage	9.95
Spaghetti aux crevettes et olives noires	11.95
Spaghetti aux palourdes, sauce à la crème et ail	12.95

LES PIZZAS (format large) 12.95-22.95
Grand choix : toute garnie, sauce italienne, végétarienne, aux crevettes, aux fruits de mer, etc.

Pizzaiolo

Restaurant Laurentides spéc. italiennes
64, rue de la Gare, St-Sauveur (450) 227-4422
Ouvert 7 jours les midis et les soirées.

LES ENTRÉES

Soupe à l'oignon gratinée	4.75
Aubergines parmigiana	5.00

LES SALADES

Salade César avec anchois	5.00
Salade Pizzaiolo	6.00

LES PIZZAS (aussi en 10 pouces)	14 pouces
La Pizzaiolo (à l'ail)	16.25
La vallée (garnie avec poulet)	18.00
L'Athens (feta, olives, basilic)	19.75
La meilleure (saumon fumé, câpres)	20.50

→

Pizzaiolo (suite)

LES PÂTES

Rigatoni sauté	9.50
Spaghetti aux palourdes	9.75
Fettucini marinara	11.00
Fettucini au saumon fumé	12.00

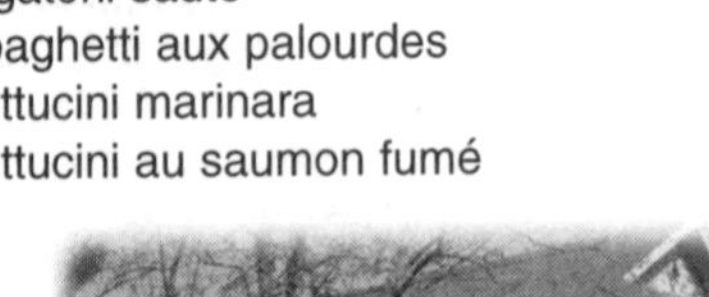

LES DESSERTS

Glace italienne	3.00
Gâteau aux carottes	3.00

Rôtisserie Fusée

Restaurant **Laurentides**

132, rue St-Laurent, St-Eustache (450) 623-3873

*Cette Rôtisserie est la seule de la chaîne Fusée où l'on peut apporter son vin: *à partir du début de 2002.*

EXEMPLES DE PLATS PRINCIPAUX

Servis avec frites, sauce, salade et pain

Steak de poitrine provençal		6.95
Croquettes	(6) 5.95	(9) 7.45
Brochette de poulet		7.95
Filets	(6) 8.75	(8) 9.35
Demi-poulet		9.50
Combo côtes levées et cuisse de poulet		9.95
Combo côtes levées et poitrine de poulet		10.95
Côtes levées (demi-portion ou assiette régulière)		7.95/12.95

Les Rondins 

Table **Laurentides** **spéc. régionales**
10 331, Côte St-Louis, Mirabel (450) 258-2467
Ouvert sur réservation pour un min. de dix personnes.

MENU DE VEAU 37.00
Bouchées d'avant
Roulade de chapon farcie
Crème de légumes Mirabel
Salade tiède de confit de canard
Veau au parfum de basilic
Légumes de saison
Fromage La Longeraie
Gâteau rhubarbe mousse au sirop d'érable
Parfait maison et café, thé ou tisane

MENU DE CANARD 35.00
Bouchées d'avant
Roulade de chapon farcie
Crème de légumes Mirabel
Assiette de canard aux deux façons, sauce framboise
Légumes de saison
Feuilles du jardin et chèvre chaud
Gâteau rhubarbe mousse au sirop d'érable
Parfait maison et café, thé ou tisane

→

Les Rondins (suite)

MENU DE VOLAILLE	35.00
Canapés pâté de foie maison	
Tarte épinards et poireaux	
Crème de légumes aux fines herbes	
Salade tiède au confit de canard	
Suprême de volaille, sauce aux mûres	
Sauté de légumes de saison	
Fromage La Longeraie	
Tartelette mousse au sirop d'érable	
Parfait maison et café, thé ou tisane	

Le Vieux Rosemère

Restaurant Laurentides spéc. grec. et fruits de mer
220, boul. Curé-Labelle, Rosemère (450) 434-2370
Ouvert tous les jours le midi et en soirée.

LES VIANDES

Assiette de souvlaki	9.25
Combo de poulet et souvlaki	9.95
Poitrine de poulet à l'origan	10.75
Brochette de poulet	10.95
Shish Kebab	13.95
Côtes d'agneau	15.95
Entrecôte de 16oz	17.95
Bifteck de filet mignon	18.95

LES POISSONS ET FRUITS DE MER

Cuisses de grenouilles	11.95
Filet de sole farci au crabe	12.95
La truite saumonée en filet	12.95
Filet de doré	14.95
Poitrine de poulet et crevettes	15.95
Crevettes papillon	16.95
Langoustines danoises	25.95
Terre et mer	25.95

LES DESSERTS

Carré au chocolat	2.25
Crème caramel	2.50
Gâteau forêt noire	3.25

La 5e Saison

Gîte **Laurentides**
265, chemin du Lac Louisa, Chatham (450) 533-1130
Ouvert toute l'année. Réservations préférables.

Tentez l'expérience : offrez-vous une nuit à l'intérieur d'un tipi. Vous y trouverez un lit confortable ainsi que la chaleur réconfortante d'un poêle à bois. Les aventuriers pourront se procurer de la nourriture à proximité pour se cuisiner un bon repas qu'ils accompagneront d'une bonne bouteille de vin. Le matériel de cuisine est fourni.

Verger du Parc

Cidrerie **Laurentides**
4354, chemin Oka, St-Joseph-du-Lac (450) 472-2463
Tél. avant de se rendre. Casse-croûte et auto-cueillette.

Vermouth sec *Aperidry*, vermouth doux *Abboccado*, cidre mousseux léger sec et doux *Le Parchemin*, cidre léger et doux *Le Parchemin*.

Les Vergers Lafrance

Matthieu-Olivier de Bessonet en visite aux Vergers Lafrance.

Cidrerie
Laurentides
1473,chemin Principal,
St-Joseph-du-Lac
(450)491-7859
Ouvert à l'année.

Cidre fort et sec *Jardin d'Éden*, cidre fort et demi-sec *Légende d'Automne.*
Onze variétés de cidre dont *La Champenoise,* médaillé d'or en 1999. Aussi, un mousseux, des apéritifs et des cidres de table.

Le Verger Lamarche

Cidrerie **Laurentides**
175, mtée du Village, St-Joseph-du-Lac (450) 623-0695
Ouvert à l'année, mais il est préférable d'appeler avant.

Cidre léger, demi-sec et gazéifié *Chantepom*, cidre fort et sec *Cuvée de la Montée*, cidre fort, sec et mousseux *Cuvée de la Montée.*

Vignoble de la Rivière-du-Chêne

Vignoble **Laurentides**
807, Rivière-Nord, St-Eustache (450)491-3997
Il est préférable d'appeler avant de se rendre.

Vin rouge *Cuvée William*, vin blanc *Cuvée William*, vin apéritif *L'Adélard*, vin *La Vendange des Patriotes*, vin *La Cuvée glacée des Laurentides.*

Vignoble des Négondos

Vignoble **Laurentides**

7100, rg St-Vincent, St-Benoît de Mirabel(450) 437-9621
Ouvert en pm d'avril à oct. Hors saison: sur rendez-vous.

Produits disponibles : vins biologiques de certification O.C.I.A., vin blanc *Opalinois*, vin blanc *Chambaudière*, vin rosé *Rosois*, vin rouge *Le Suroît*, vin blanc *Orélie*, vin blanc *Cuvée Saint-Vincent*.

Le Vignoble se présente comme un clos sur un joli site aux bord du «rang double» ou Saint-Vincent. C'est un petit vignoble familial (depuis 1995) qui comprend 9000 pieds de vigne.

Le viticulteur du vignoble se fonde sur des méthodes ancestrales, à savoir, entre autres, un contrôle manuel et mécanique des mauvaises herbes et autres «rivalités». La vendange est vinifiée de manière naturelle; la chaptalisation est à base de sucre bio.

Dans l'élaboration des vins, des doses minimales de sulfate sont utilisées; des produits exclusivement secs sont ainsi créés.

Paysage vu dans le Parc de la Rivière-des-Mille-Îles.

Laval

Restaurants:

- Aux Gourmandises des Mille-Iles
- Chez Lai
- Chez Minh
- Pizzarata
- La Vieille histoire

****

Fromagerie :

- Fromagerie du Vieux St-François

Boulangerie:

- La Boulangère de Laval

Pommeraie :

- Verger N. Bolduc et fille

Produits naturels :

- Rucher des Terrasses (miellerie)

Chocolaterie :

- Chocolune

Le Vieux Sainte-Rose.

Aux Gourmandises des Milles-Iles

Restaurant, traiteur **Laval** **spéc. françaises**
214, Curé-Labelle, Laval (450) 963-1221
Ouvert tous les jours, midi et soir. Fermé le mardi.

TABLE D'HÔTE
Incluant potage ou jus de tomate

Entrées au choix :
Escargots à l'ail
Tartelette de fruits de mer
Terrine aux trois gibiers
Salade César

Cassoulet toulousain	18.50
Suprême de volaille aux agrumes	19.50
Veau cordon bleu	20.50
Saumon beurre de cerfeuil	21.50
Filet de porc aux pommes confites	23.50
Filet mignon marchand de vin	27.50

Dessert,café ou thé

La Boulangère de Laval

Boulangerie **Laval**
131, Boul. de la Concorde (450) 668-0900
Ouvert lun-ven de 8h-20h, sam-dim de 8h-17h.

Pains belges, baguettes parisiennes et françaises, miches, fougasse aux olives, pain de seigle, pain de noix de grenoble, pain moisson, pain farçi de maïs, etc.

Chez Lai

Restaurant **Laval** **spéc. vietn. et thaïland.**
1670, boul. des Laurentides, Pont-Viau (450) 629-2112
Ouvert midi et soir en semaine et en soirée les sam-dim.

MENU

Choix d'entrées

Rouleaux impériaux	2.50
Salade de poulet, oignon, piment, menthe, noix	3.95

Choix de plats principaux

Poulet sauté à la citronnelle, salade et vermicelle	8.25
Bœuf sauté aux ananas	8.50
Poulet au cari rouge avec lait de coco	8.95

Choix de desserts

Gâteau aux carottes	2.00
Ananas frits	2.00

Chez Minh

Restaurant **Laval** **spéc. vietnamiennes**
2107, boul. Des Laurentides (450) 662-1446
Ouvert midi et soir en semaine et en soirée sam-dim.

MENU

Choix d'entrées

Soupe au bœuf et légumes	2.75
Soupe tonkinoise	2.75
Salade vietnamienne	3.95
Salade aux crevettes	7.95

Choix de plats

Bœuf sauté à la citronnelle	8.50
Poulet sauté avec épinard, sauce aux arachides	8.95
Steak à la vietnamienne	9.95
Crevettes sautées au ananas	10.95
Poisson sauté au gingembre	10.95

Choix de desserts

Bananes frites	1.95
Coupe Lychee	1.95

Chocolune

Chocolaterie **Laval**
274, boul. Ste-Rose, Laval (450) 628-7188
Ouvert mar-mer 8h-18h/jeu-ven 8h-21h/sam-dim 8h30-17h.

Produits variés: 20 variétés de chocolat fait à base de ganache; gâteaux *Palais Royal*, *Désire ultime*, *Irrésistible*; 12 variétés de confitures maison; tartinade miel et chocolat; tartinade au caramel.

Pizzarata

Restaurant **Laval** **spéc. italiennes**
8078 boul. Lévesque, Saint-François (450) 665-6744
Ouvert tous les jours, midis et soirées

LES PIZZAS (aussi en format moyen)	GRANDE
Toute garnie	12.50
La maison spéciale	14.25
Italienne	15.50

LES METS ITALIENS	
Lasagne gratinée	6.25
Cannelloni gratiné	6.50
Spaghetti aux fruits de mer gratiné	7.25
Escalope de veau au parmesan	8.95

Pizzarata (suite)

LES SOUS-MARINS (aussi en autre format)	MOYENS
Le vedette	6.15
Le matador	6.15
Le végétarien	6.15

LES BROCHETTES

Brochette de poulet	8.25
Brochette de filet mignon	10.25
Brochette de crevettes	11.25

SUR CHARBON DE BOIS

Bifteck London	7.75
Steak aux piments verts	12.75
Bifteck d'entrecôte	12.95

LES FRUITS DE MER

Coquilles St-Jacques	9.50
Filet de saumon Atlantique	11.95
Langoustines danoises grillées	17.25

LES SALADES

Salade César (grosse)	5.75
Salade grecque	6.25

LES DESSERTS

Tartes maison assorties	2.15

Rucher des Terrasses

Miellerie **Laval**
283, av. des Terrasses, Auteuil (450) 625-3160
Ouvert du lundi au vendredi de 9h-17h.

Miel pur non-pasteurisé, miel baratté (crémeux), miel en vrac, miel en rayons, cire d'abeille, gelée royale, bonbons, gaufres belges, couques (pain d'épices), moutarde douce, chandelles en cire d'abeille, savon de Marseille, etc.

La Vieille Histoire

Restaurant **Laval** **spéc. françaises**
284, boul. Ste-Rose, Laval (450) 625-0379
Ouvert le soir tous les jours, mais il est préférable de réserver.

TABLE D'HOTE 30.75$

Choix d'entrées ou de potages
Crème de céleris & rhubarbe à la ciboulette
Terrine du jour
Timbale de homard & gyromitres, sauce coriandre
Soupe de moules inspiration de l'été
Velouté de gibier au muscat, raisins verts et morilles
Salade tiède de confit de canard, sauce cantaloup

Choix de plats principaux
Duo de canard, sauce à l'ail fumée & romarin
Veau aux fruits de mer, sauce concombre et vermouth
Filet de bœuf, sauce échalotes mauves & estragon
Panaché de poissons, sauce aux deux poivrons
Lapin laqué au caramel, soya et sésame
Magret d'oie fumé, sauce prune et genièvre
Longe d'agneau, sauce au vinaigre de xérès
Médaillon de porc aux abricots, sauce pistache
Pavé de poisson grillé aux deux coulis

La Vieille Histoire (suite)

Choix de desserts
Gâteau au fromage, bleuets et gingembre
Papillon glacé avec garniture de fruits
Gratin aux fruits d'été, glace réglisse
Soufflé du jour
Crème brûlée coco et glace au chocolat

MENU DÉGUSTATION 37.75$
Potage, entrée, trou Normand, plat et dessert au choix

Fromagerie du Vieux St-François

Fromagerie **Laval**
4740, boul. des Mille-Iles, St-François (450) 666-6810
Ouvert de 10h-18h les mar-mer, de 10h-20h jeu-ven et de 10h-17h les sam-dim. Visites sur réservations.

Lait entier non homogénéisé Lait de chèvre; fromage cheddar à pâte riche et dense *Samuel & Jérémi* ; fromage de type Tome de Savoie fait de lait cru et vieilli un minimum de 60 jours en salle d'affinage *La Tour St-François* ; fromage à pâte demi-ferme et à croûte lavée *Le Pré des Milles-Iles* ; fromage fêta disponible dans la saumure ou dans l'huile aromatisée *Fleur de Neige* ; fromage à pâte molle affinée de type camembert *Le Lavallois* ; fromage frais non-affiné à pâte molle, doux et souple, disponible nature ou recouvert de différents aromates et épices *Le Petit Prince*; et fromage frais séché, affiné, à croûte légèrement fleurie *Ti-Lou.*

Verger N. Bolduc et fille

Pommeraie **Laval**

4305, Haut St-François, Duvernay (450) 664-7378

Ouvert tous les jours, de la mi-août à la mi-oct, de 9h-6h.
Auto-cueillette.

Plusieurs types de pommes disponibles telles que la *Jaune transparente*, la *Jersey Mac*, la *Red Free*, la *Paulared*, etc. Autres produits également vendus sur place : vinaigre de cidre de pommes, tartes aux pommes, muffins aux pommes, miel, jus de pomme, etc. On retrouve sur le site des tables à pique-nique où les dégustateurs de pommes et de produits dérivés peuvent manger et apporter leur vin.

Paysage: coucher du soleil sur le Verger N. Bolduc et filles.

Mauricie Bois-Francs

Restaurants :

- Dara Asie
- Cambodiana
- Casa Domani
- Le St-Antoine

Tables:

- La Ferme de la Berceuse
- La Ferme Faisan Bray

Gîtes / Auberge :

- Auberge internationale La Flottille
- Gîte de la Seigneurie
- Gîte de l'Artisanerie
- Gîte Universitaire

****

Boulangerie:

- Pâtisserie Le Palais

Fromageries :

- Fromagerie l'Ancêtre

Cidrerie :

- Frères du Sacré-Cœur d'Arthabaska

Auberge Intern. La Flottille 🍷

Auberge de jeunesse **Mauricie**
497, rue Radisson, Trois-Rivières (819) 378-8010
Soupers pour les logeurs seul. Groupes de 10 pers. min.

EXEMPLE DE MENU 9.50

Choix d'entrée
Fondue parmesan
Salade
Soupe

Exemple de plats du jour
Cuisse ou poitrine de poulet
Pain de viande
Bouilli de légumes
Pâté chinois

Choix de desserts
Tarte aux pommes
Salade de fruits

Dara Asie 🍷

Restaurant **Bois-Francs** **spéc. camb/ thaï/ chin.**
283, Heriot, Drummondville (819) 477-1377
Ouvert du mar au ven le midi et du mar au dim en soirée.

LES PLATS PRINCIPAUX

Poulet thaïlandais	9.95
Poulet phnom penh	9.95
Poulet aux champignons	9.95
Poulet aux cinq parfums	9.95
Bœuf ou porc aux ananas	9.95
Porc exotique	9.95
Bœuf au brocoli	9.95
Crevettes aux champignons	11.95
Crevettes asiatiques	11.95
Crevettes au citron	11.95
Crevettes panées	11.95

Cambodiana

Restaurant **Mauricie** **spéc. camb/viet/thaïl**
5800, boul. Jean XXIII, Trois-Rivières-O. (450) 755-6304
Ouvert tous les jours le midi et en soirée.

LES ENTRÉES ET LES SOUPES

Soupe saïgonnaise	2.50
Salade thaïlandaise	3.50

LES PLATS PRINCIPAUX

Légumes d'Asie	8.95
Poulet impérial	9.95
Poulet aux cinq parfums	9.95
Porc exotique	9.95
Bœuf au brocoli	9.95
Bœuf Khmer	9.95
Crevettes Malacca	11.95
Crevettes de l'empereur	11.95
Les demoiselles de Mékong	11.95
Crevettes aux trois saveurs	11.95
Brochettes d'amour	11.95
Nid royal	11.95

LES DESSERTS

Beignets ananas, pommes ou bananes	1.95

Casa Domani

Restaurant **Mauricie** **spéc. italiennes**
355, St-Georges, Trois-Rivières (819) 370-1010
Ouvert le midi du lun au ven et en soirée du lun au dim.

LA TABLE D'HÔTE DU MIDI 4.95-9.95

Incluant soupe, plat principal, café et dessert

Exemples de plats principaux

Linguini pomodoro	6.45
Quiche florentine et salade	7.45
Fettuccinni di mare	9.95

Les entrées

Soupes minestrone	2.75
Salade césar	4.75
Gratin aux légumes	6.75
Saumon aux câpres et olives noires	7.25

Les pâtes

Choix de pâte: spaghettini, linguini, rotini, penne, fettuccini
Choix de 26 sauces/ exemples

Crème, fromage parmesan et échalotes	9.95
Cannelloni au veau, sauce rosée	10.25
Lasagne, sauce à la viande et à la crème	10.75
Sauce tomate, champignons, piments verts, poulet	12.95
Sauce rosée et crevettes	13.95
Sauce tomate, ail et palourdes	13.95
Crevettes, pétoncles, palourdes	13.95

Le veau

Avec artichauts, sauce à la crème	14.95
Sauce crémeuse citronnée	14.95
Sauce au vin rouge et champignons	14.95

Le boeuf

Demi glace	17.95
Sauce au vin rouge et champignons	17.95

Les pizzas

Napolitaine	8.50
Américaine	9.25
Végétarienne	9.95
Fruits de mer	12.95

Casa Domani (suite)

LES DESSERTS

Obsession à l'érable	3.95
Triple chocolat	3.95
Tiramisu	4.50

La Ferme de la Berceuse

Table **Bois-Francs** **spéc. fran.**
534, rang 10, Wickham (819)398-6229
Ouvert sur réservation.

TABLE D'HÔTE 5 SERVICES 25.00-30.00

Choix d'entrées ou de potages
Potage au brocoli
Feuilleté de fromage de chèvre huile basilic
Pâté de foie au Porto
Fondant de poireaux à la crème de brie

Choix de plats principaux
Dinde sauvage et pintade aux canneberges
Confit de canard
Lapin au cidre et à la moutarde
Salade vinaigrette

Choix de desserts
Mousse au chocolat et noisettes
Profiteroles aux chocolats
Gâteau roulé au chocolat et fraises fraîches

Fromagerie l'Ancêtre

Fromagerie **Bois-Francs**
1615, boul. Port-Royal, Bécancour (819) 233-9157
Ouvert tous les jours de 9h-18h et jusqu'à 20h l'été.

Fromages cheddar au lait cru *doux, moyen, fort* ou *extra fort; mozzarella, Le Frugal; ricotta et parmesan.*

La Ferme Faisan Bray 🍷

Table **Bois-Francs** **spéc. régionales**
367, route 122, St-Edmond (819) 395-4458
Ouvert sur réservation de groupe de 8 à 40 pers.

MENU 37.00
Terrine de faisan et coulis
Potage au brocoli
Salade de la ferme
Sorbet aux fruits
Suprême de faisan
Triple fondant au chocolat

Frères du Sacré-Cœur d'Arthabaska

Cidrerie **Bois-Francs**
905, ch. des Bois-Francs sud, Victoriaville (819)357-8215
Ouvert à l'année tous les jours de 8h30-18h.
Achats à la réception du site.

Cidre mousseux fort, brut ou demi-sec *Cellier des Frères* et un vin de cassis.

Fromagerie de la Montagne ronde

Fromagerie **Mauricie**
420, ch. de la Montagne, Charrette* (819) 221-313
*Situé entre Louiseville et Shawinigan
Ouvert les fins de semaine et en semaine sur appel.

Fromagerie fermière de chèvre au lait cru (production sur la ferme même). Produits disponibles : fromage à pâte molle et croûte lavée le *Pavé des neiges*; fromage à pâte pressée la *Belle-Marie* et fromage pur lactique *le Cabotin*.

Gîte de la Seigneurie

Gîte **Mauricie**
480, ch. du Golf, Louiseville (819)228-8224
Ouvert midi et soir, sur réservation. Min 8 pers. & plus.

MENU 30.00-35.00

Choix d'entrées
Bouchées de la biquette
Roulé de sarrasin
Feuilleté de filet de perchaude du lac Saint-Pierre
Bortsch québécois

Choix de plats principaux
Lapin jardinier
Gigot d'agneau
Côtelettes de porc farcies

Choix de desserts
Éphémère triangle de fromage
Bagatelle au sherry
Gâteau «grand-maman»

Gîte de l'Artisanerie

Gîte **Bois-Francs**
371, Principale, Baie-du-Febvre (450)783-6469
Ouvert tous les jours sur réservation.

TABLE D'HÔTE 22.00-25.00

Salade champêtre

Potage du moment

Choix de plats principaux
Aiguillette d'oie d'élevage, sauce vin blanc
Tranche de cerf rouge, sauce vin rouge
Papillotte d'émeu, sauce aigre-douce aux poivrons
Oie en sauce

Gâterie du gîte

Plateau de fromages de chèvre

Le Gîte Universitaire

Auberge de jeunesse **Mauricie**
1550, Père Marquette, Trois-Rivières (819) 374-4545
Sans frais 1866 450-4595
Ouvert du 1er mai au 31 août.

36 unités de logement disponibles en location à la journée, à la semaine ou au mois. Située près du centre-ville, chaque unité comprend 3 chambres à coucher avec un lit simple, un salon, une cuisine et une salle de bain. On y prépare ses repas et on apporte son vin si on le désire.

Pâtisserie Le Palais

Boulangerie **Mauricie**
668, 4e avenue, Shawinigan (819) 536-7081
Ouvert lun-mer 8h-17h30/ jeu-ven 8h-21h/ sam 8h-17h

Pains maison sans additif : baguette, italien, belge, au fromage et aux raisins, etc.

Le St-Antoine

Restaurant **Mauricie** **spéc. ital. et fruits de mer**
151, St-Antoine, Trois-Rivières (819) 378-6420
Ouvert du mardi au dimanche en soirée.

LES ENTRÉES

Fondue de camembert	4.95
Gratin de fruits de mer	5.95
Bisque de crevettes	7.95
Steak tartare	12.50

LES PÂTES

Linguini au bleu	8.95
Linguine au brocoli, noix et ail	9.95
Linguine au poulet et cari	9.95
Tortellini romanoff	9.95
Linguine arrabbiata et pétoncles	12.95
Linguine au saumon fumé	12.95

→

Le St-Antoine (suite)

LES PIZZAS

Végétarienne	8.95
Aux escargots, tomates et ail	9.95
Aux tomates, fromages, olives et anchois	10.95
Aux pommes, camembert et bleu	11.95
Aux fruits de mer	12.95

LES MOULES

Servies avec des pommes de terres frites et mayonnaise

Marinières	11.95
Au pineau des Charentes	12.95
À la provençale	9.95
À la dijonnaise	11.95

LES FRUITS DE MER

Filet de doré	14.95
Crevettes à l'ail	18.95
Pétoncles à l'ail	18.95
Langoustines	23.95
Crevettes flambées au Pernod	23.95
Assiette de fruits de mer	24.95

LES VIANDES ET VOLAILLE

Brochette de poulet	10.95
Escalopes de veau milanaise	13.95
Brochette de filet mignon	19.95
Ris de veau romanoff	19.95
Tournedos de filet mignon flambé au brandy	23.95

LES DESSERTS

Gâteau au fromage	3.50
Profiteroles	4.95
Suprême au chocolat	4.95

Le restaurant Le St-Antoine.

Montérégie

Restaurants :

- Alyce
- Chez Hoffmann
- Chez Noeser
- Dessine-moi un mouton
- Épicure
- Les Étoiles d'Asie
- Le Fin Gascon
- Fleurs d'Asie
- Il Mastro
- Mamma Mia
- Aux Pignons Gourmands
- Roma Antiqua
- Le Royaume de la Thaïlande
- La Saïgonnaise
- Viêt-Nam

Tables :

- Le Boisé
- Domaine de la Templerie
- Les Délices Champêtres
- La Ferme Kosa
- La Rabouillère
- La Seigneurie de Newton

Gîtes / Auberges :

- Auberge l'Air du Temps
- Bardon Farm
- L'Ensorcelaine
- Les Pignons Verts

Cabane à sucre :

- Au Canton de Newton

Théâtre/souper :

- La Dame de coeur

****

Vignobles :

- Domaine des Côtes d'Ardoise
- Vignoble Angell
- Vignoble Cappabianca
- Vignoble Clos de la Montagne
- Vignoble Clos Saint-Denis
- Vignoble des Pins
- Vignoble Dietrich-Jooss
- Vignoble Domaine del'Ardennais
- Vignoble La Bauge
- Vignoble du Marthonien
- Vignoble de l'Aurore boréale
- Vignoble Le Royer St-Pierre
- Vignoble L'Orpailleur
- Vignoble Les Pervenches
- Vignoble Les Arpents de Neige
- Vignoble Morou
- Vignoble Saint-Alexandre

Cidreries :

- Abbaye Cistercienne Notre-Dame-de-Nazareth
- Au Pavillon de la Pomme
- Cidrerie Coteau St-Jacques
- Cidrerie du Minot
- Cidrerie du Verger Gaston
- Cidrerie du Village
- Cidrerie Michel Jodoin
- J.M. et M. Tardif
- Vergers Denis Charbonneau
- Verger Léo Boutin
- Les Vergers Petit et Fils

Boulangerie :

- Boulangerie Première Moisson

Hydromelleries :

- Miel Nature
- Les Vins Mustier et Gerzer

Autre :

- Brasserie Schoune

Abbaye Cistercienne Notre-Dame-de-Nazareth

Cidrerie **Montérégie**
471, rue Principale, Rougemont (450) 469-2880
Possibilité d'auto-cueillette.

Cidre mousseux, fort et sec *Rouville.*

Alyce

Restaurant **Montérégie** **spéc. franç. et gibier**
127, chemin de la Baie, St-Sébastien (450) 244-5479
Ouvert du jeudi au dimanche en soirée, sur réservation.

LA TABLE D'HÔTE

Incluant salade verte et café ou thé

Blanc de volaille, sauce Maria-Hélèna	19.95
Filet de saumon au beurre de champagne	20.95
Ris de veau, sauce Périgourdine	21.95
Feuillantine de Lapereau, sauce moutarde	22.95
Magret de canard au délice de Griotte	23.95
Pavé de cerf aux zestes d'oranges et bleuets	25.95
Steak d'autruche, sauce Grand-Veneur	29.95

Auberge l'Air du Temps

Gîte **Montérégie**
124, rue Martel, Chambly 1-888-658-1642
Ouvert déc-oct. Repas pour groupe de 8 logeurs et plus.

MENU 25.00 (et plus à partir de déc.)

Coquille de champignons ou salade maison
Potage du jour
Bœuf ou poulet cuit sur pierre et légumes du jour
Profiteroles ou feuilleté aux fraises

Au Canton de Newton

Cabane à sucre **Montérégie** **spéc. régionale**
2485, 3e rang, Ste-Justine-de-Newton (450)764-3420
Fin février à fin avril sur réservation.

TARIFS :	lun-jeu	ven-dim
0 à 5 ans	gratuit	gratuit
5 à 12 ans	7.50	8.00
Adulte	15.00	16.00

Soupe aux pois, œufs ou omelette, saucisse, bacon, fèves au lard, oreilles de crisse, jambon, patates, galettes de sarrasin, pain doré, tartines au beurre d'érable, café & thé, chocolat chaud, tire sur neige.

Paysage de la Montérégie, la Ferme Kosa.

Au Pavillon de la Pomme

Cidrerie **Montérégie**
1130, boul. Laurier (route 116), Mt-St-Hilaire
Ouvert à l'année de 9h-18h. (450) 464-2654

Cidre fort et sec *Cheval de Glace*, cidre mousseux, tranquille, sec ou demi-sec *Cheval de Glace, Rosé aux bois.*

Aux Pignons Gourmands

Restaurant **Montérégie** **spéc. gibiers**
355, boul. Maple Grove, Maple Grove (450) 429-7210
Ouvert aux groupes sur réservation.

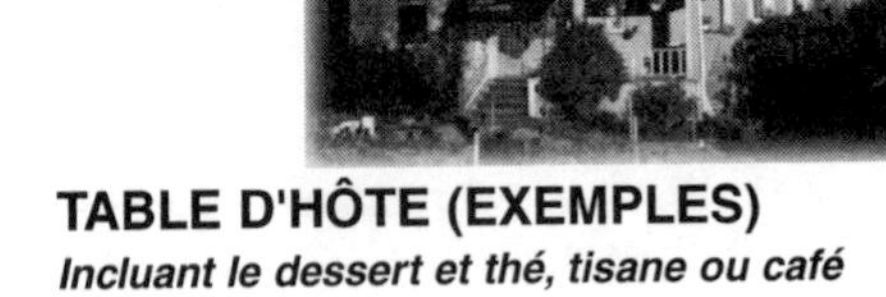

TABLE D'HÔTE (EXEMPLES)

Incluant le dessert et thé, tisane ou café

Entrées au choix :

Potage deux couleurs
Potage rutabaga à l'érable
Champignons en croûte
Salade jardinière
Salade de tomates et bocconcinni
Crêpes aux deux saumons

Plats principaux au choix :

Saumon	24.50
Duo de crevettes et pétoncles	27.50
Poulet sur son nid de pesto	23.50
Rôti de chevreuil	32.50
Confit de faisan	29.50

Bardon Farm

Gîte | **Montérégie** | **spéc. régionales**
1557 Fertile Creek, Howick (450) 825-2697
Ouvert toute l'année.
Souper pour les logeurs sur réservation seulement.

Accueil de soutien à l'immersion pour l'anglais si désiré.

SOUPER DU GÎTE 18.00
Potage, viande ou volaille apprêtée à la saveur du jour, légumes de saison, dessert et thé ou café.

Boulangerie Première Moisson

Boulangerie **Montérégie**
2479, chemin de Chambly, Longueuil (450) 468-4406
Ouvert lun-mer 8h-19h/jeu-ven 8h-21h/sam-dim 8h-18h.

Pains biologiques au levain préparés artisanalement et cuits au four à bois. Plus de 49 produits disponibles.

Brasserie Schoune

Ferme brasserie **Montérégie**
2075, Ste-Catherine, St-Polycarpe 1-877-599-5599
Il est préférable d'appeler avant de se rendre.

Bière ale, blonde, de type belge *Schoune Blonde*; bière ale, ambrée, de type belge *Schoune Ambrée*; bière ale, forte, de type belge *Schoune Forte*; bière ale, forte de type belge *Schoune Belge*; bière à l'érable *Schoune à l'érable*; bière blanche de type belge *Blanche de Québec*; bière sur lie de type belge *La Blanche*; bière ale, forte, de type belge *La Trip des Schoune*.

Le Boisé

Table **Montérégie** **spéc. françaises**
242, route 202, Noyan (450)358-9730
Ouvert sur réservation (2 à 40 personnes).

LA TABLE DU VOYAGEUR 22.00

Pour 2 à 40 pers. (le prix inclus les taxes).
Potage du moment ou viande de grison sur lit de salade
Poussin à la crème ou feuilleté de chevreuil et leurs petits légumes
Sérénades de fromages de Noyan
Dessert de la saison, café, thé ou infusion

LA TERRASSE DU BOISÉ 35.00

Pour de 20 à 40 pers. (le prix inclus les taxes).
Méchoui
Symphonie de légumes en salade
Cochon, agneau ou sanglier braisé au bois d'érable
Pomme de terre sur braise
Sérénade de fromage de Noyan
Dessert, café, thé ou infusion.

Cidrerie Coteau St-Jacques

Cidrerie **Montérégie**

990, grand rang St-Charles, St-Paul-d'Abbotsford(450)379-9732
Ouvert à l'année. Autocueillette de fin août à mi-oct.

Cidre léger *Coteau St-Jacques*, cidre fort et vieilli en fût *Coteau St-Jacques*, cidre mousseux, fort et sec *Cuvée sur Paille.*

Cidrerie du Minot

Cidrerie **Montérégie**

376, ch Covery Hill, Hemmingford (450)247-3111
Appeler avant de se présenter.

Mousseux rosé Crémant de *Pomme du Minot rosé*, apéritif rosé *Du Minot doré*, champenoise *Domaine du Minot*, cidre tranquille *La Bolée réserve*, cidre mousseux *Cuvée du Minot.*, cidre apéritif *Du Minot Doré,* cidre apéritif *Du Minot Doré* réserve spéciale, cidre mousseux *Clos du Minot Tradition*, cidre mousseux rosé *Clos du Minot Rosé.*

Cidrerie du Verger Gaston

Cidrerie **Montérégie**

1074, ch. de la Montagne, Mt-St-Hilaire (450)464-3455
Visite ts les jours de mai à oct et les fins de sem. en hors-saison

---

Cidre mousseux, fort et sec *Crémant Ozias*, cidre fort et sec *Les Coteaux du Richelieu*, cidre léger et sec *Les Coteau du Richelieu*, cidre rosé, fort et sec *Les Coteaux du Richelieu.*

Cidrerie du Village

Cidrerie **Montérégie**
509, rue Principale, Rougemont (450) 469-3945
Ouvert de mai à décembre.

Cidre fort et sec *Le Cidre du Verger*, cidre mousseux, fort et sec *Le Cidre du Verger.*

Chez Hoffmann

Restaurant **Montérégie** **spéc. françaises**
320, rue de l'Église, Napierville (450) 245-7746
Ouvert sam et dim en soirée sur réservation.

LES ENTRÉES

Rouleau printanier sauce aux fruits	5.95
Manicotti fromage et épinards	5.95
Escargots à la mode du chef	6.95

LES PLATS PRINCIPAUX

Incluant Gaspacho ou salade maison et desserts

Suprême de volaille chasseur	18.95
Entrecôte « Strinberg »	19.95
Filet de porc sauce « Robert »	20.95
Magret de canard aux perles bleues	24.95
Médaillons de caribou aux fruits des champs	26.95
Filet mignon aux deux poivres	27.95
Carré d'agneau aux fines herbes	31.95
Langoustines à l'ail (6)	33.95
Duo de filet mignon et langoustines (3)	35.95

Chez Noeser

Restaurant **Montérégie** **spéc. françaises**
236, Champlain, St-Jean-sur-Richelieu (450) 346-0811
Ouvert du mercredi au dimanche dès 17h30.

BRUNCH (sur réservation de groupe) 18.75

PETITES TABLES 18.50 à 23.50

MENUS À LA CARTE 3.50 à 21.00

Exemple de menu :
Biscuit de homard et sa mayonnaise de crustacés
Velouté Carmen
Flan de volaille et asperges de Madame Jutras ou
Escalopes de foie de gras de canard
Granité pamplemousse rose parfumé à la téquila

MENU PROPOSÉ:
Baron de lapin braisière à l'estragon et moutarde ou
aiguillette de bœuf aux poivres
Feuilles vinaigrette aux herbes du jardin
Choix du maître fromager
Gourmandises à la poire et au cassis

→

Chez Noeser (suite)

REPAS 5 SERVICES

Incluant biscuit, velouté, lapin ou bœuf, salade et dessert 39.50

REPAS 6 SERVICES

Incluant en plus un flan de volaille 46.50

REPAS 7 SERVICES

Incluant en plus un granité 53.50

REPAS 8 SERVICES

Incluant en plus des fromages 57.50

LA PETITE TABLE DU CHEF NOESER

Incluant un velouté de légume ou une salade de saison

Entrées supplémentaires au choix :

Terrine du chef	7.25
Feuilleté de homard et pétoncles et sauce	11.00
Foie gras de canard poêlé	19.50

Plats principaux au choix :

Poisson du jour	29.00
Pièce de bœuf aux poivres	33.00
Carré d'agneau en robe d'épices	36.00

Dessert : Gourmandise du chef

Chez Noeser, vous trouverez un menu différent à chaque saison. Automne : pommes, vendages et gibier. Hiver : menu de fête, table Lyonnaise, Terre et mer. Printemps : Italie et Alsace. Été : les saveurs estivales.

Cidrerie Michel Jodoin

Cidrerie **Montérégie**
1130, rg de la Petite Caroline, Rougemont(450)469-2676
Appeler avant de se présenter. Visites guidées en pm.

Cidre léger, demi-sec et mousseux *Le Pédoncule*, cidre léger, rosé, sec et mousseux *M.Jodoin*, cidre léger et demi-sec *Blanc de Pépin*, cidre fort, élevé en fût et millésimé *Cuvée Blanc de Pépin*, cidre fort et rosé *Cuvée Blanc de Pépin*, cidre apéritif élevé en fût *Apéro Pom*.

La Dame de Coeur

Théâtre/souper **Montérégie** **spéc. rég. et franç.**
611, rang de la Carrière, Upton (450) 549-5828
Ouvert sur réservation.

Menu de La Raboulière (voir ce nom p. 168) et vous renseigner pour les différents forfaits disponibles en saison pour la combinaison théâtre et table d'hôte.

Dessine-moi un mouton

Restaurant **Montérégie** **spéc. françaises**
212, chemin Maple, Sutton (450) 538-1515
Ouvert les samedis soirs.

EXEMPLE DE MENU 55.00
(La composition du menu varie aux 2 semaines)
Marlin fumé
Soupe au pistou et copeaux de parmesan
Rillettes de lapin et compote de figues
Tartare de légumes et gravlax de truites en feuille de riz
Granité
Suprême de canard aux pommes et vinaigre de cidre
Médaillon de porc au feta grec et aux herbes
Suces glacées au thé et à la menthe
Trilogie de bleuets du Lac St-Jean

Domaine de la Templerie 🍷

Table **Montérégie** **spéc. françaises et gibier**
312, chemin New Érin, Godmanchester (450) 264-9405
Ouvert sur réservation de 10 personnes min. en semaine et de 12 personnes min. les fins de semaine.

MENU DE LA FERME 36.00

Petits fours à apéritif
Velouté en cachette
Plateau de charcuteries fines maison

Les entrées champêtres au choix

Quiche Victoria
Mousse de saumon à l'oseille
Pyramide de Bresse aux champignons
Escargots façon du domaine

Les plats principaux au choix

Accompagnés de pommes noisette et de légumes
Civet de lapereau
Filet d'oie, sauce bordelaise
Chapon aux pommes et à l'érable
Confit de canard, sauce béarnaise
Pintadeau rôti à la forestière
Salade fraîche du potager
Plateau de fromage

Les desserts au choix

Clafoutis aux fruits de saison
Soufflé glacé à l'érable et au calvados
Tarte au sirop d'érable
Café, thé ou infusion

Domaine des Côtes d'Ardoise

Vignoble **Montérégie**
879, chemin Bruce, route 202, Duham (450)295-2020
Ouvert à l'année. Visite de juin à octobre.

Vin blanc *La Maredoise*, vin blanc *Seyval Carte d'Or*, vin rouge *Côte d'Ardoise*, vin rouge *Haute Combe*, mistelle rouge *Estafette*, vin blanc *Riesling*.

Les Délices Champêtres 🍷

Table **Montérégie** **spéc. françaises**
350, Chemin du Ruisseau Nord, St-Clet
(450) 456-3845 Sans frais : 1-866-456-3845
Réservations : groupe de10 personnes et plus.
Petite salle « L'évasion » pour 4 à 8 personnes.

MENU 8 SERVICES 38.00

Choix d'entrées
Chartreuse d'escargot
Cipaille de gibier au parfum de romarin
Rillettes au saumon fumé

Choix de potages
Velouté à l'ail
Soupe aux pommes et courgettes
Chaudrée de pétoncles et poireaux

Choix de plats principaux
Filet de porc aux abricots
Magret de canard à la seigneuriale
Mignonnette de bœuf sauce au vin
Carré d'agneau du chef et sa farce

→

Les Délices Champêtres (suite)

Sorbet normand
Panachée de fines laitues et vinaigrettes

Assiette de fromages

Choix de desserts
Bombe glacée aux petits fruits
Clafoutis aux fruits des champs
Gâteau aux noix et rhum

L'Ensorcelaine

Gîte **Montérégie** **spéc. chevreaux et pintades**
279, rang du Bord-de-l'eau, Massueville (450) 788-2283
Ouvert sur réservation de groupe de 14 à 32 pers.

REPAS CHAMPÊTRE 34.50

Potage à la coriandre et au bouillon de pintade

Entrées combinées
Salade au fromage de chèvre et saucisson de chevreau
Pâté de chevreau en croûte
Terrine de pintade fumée

Plat principal
Gigot de chevreau, oie aux marrons ou canard rôti au vin
Pomme de terre et légumes du potager

Fromage de chèvre et pâté de foie de chevreau

Crêpe de sarrasin farcie de crème glacée et petits fruits
Café, thé ou tisane

Épicure

Restaurant Montérégie spéc. françaises
1, du Marché, St-Jean-sur-Richelieu (450) 358-9730
Ouv du mar au sam en soirée et du mar au ven le midi.

LA TABLE D'HÔTE

Comprenant potage ou salade, thé, café ou infusion

Suprême de volaille à l'orange et épice	18.00
Foie de veau en escalopes sauce à l'échalote	20.00
Pavé de saumon braisé, tombé d'épinard	24.00
Ris de veau poêlé sauce au cidre de pommes	25.00
Lapin en sauce au panaché de champignons	26.00
Carré d'agneau rôti au miel de trèfle et romarin	33.00
Langoustines, beurre à la provençale	35.00

LE MENU CINQ SERVICES (taxes incluses) 45.00

Crème potagère

Tartelette d'escargots au pastis et champignons
Terrine de campagne et salade de mesclun
Saumon fumé, pétoncles marinées et basilic
Balluchon de crabe et crevettes sauce bisque

Ris de veau sauce au cidre et poêlé de pommes
Filet de saumon braisé tombé d'épinard et parmesan
Lapin et son panaché de champignons des bois

Brie tiède aux noix, pâtisserie, thé, café ou infusion.

Les Étoiles d'Asie

Restaurant Montérégie spéc. camb. thaï. et viet.
227, Richelieu, St-Jean-sur-Richelieu (450) 358-1061
Ouvert mar -ven le midi et en soirée/ sam-dim en soirée.

LES SPÉCIALITÉS

Bœuf au curry	9.25
Poulet aux champignons	9.25
Ailes de poulet du paradis	9.25
Crevettes royales sautées aux champignons	12.25
Crevettes thaïlandaises et pétoncles	12.25
Vermicelle, crevettes, bœuf, rouleaux, salade	13.25
Bœuf, poulet, crevettes, légumes, vermicelle	14.25

La Ferme Kosa

Table **Montérégie** **spéc. de gibiers, franç**
1845, rang Saint-Antoine, St-Rémi (450) 454-4490
Ouvert sur réservation le midi et le soir (10 pers. et +).

Accueil de soutien en italien ou en hongrois en immersion si désiré.

MENU GASTRONOMIQUE (8 services) 35.00

Punch
Canapés
Potage

Entrées froides au choix :
Tomate à l'antiboise
Terrine de lapin aux kiwis
Terrine de canard à l'orange
Salade (spécialité maison)
Rillettes d'oie

Entrées chaudes au choix :
Feuilletées aux petits légumes
Crêpe farcie
Quiche lorraine

La Ferme Kosa (suite)

Gnocchi à la romaine
Tagliatelle aux asperges ou aux poivrons
Ris de veau pané aux asperges

Plats principaux au choix :
Servis avec pomme de terre mousseline, légume du potager, salade et fromages fermiers (de chèvre)
Confit de canard et pintade au chou braisé
Aiguillettes de canettes aux griottes (cerises)
Magret de canard aux poires, raisins et navets confits
Lapin chasseur à la polenta
Cuisse de lapin aux rouleaux de carottes aux pruneaux
Pintade aux pommes flambées au Calvados
Pintade à la mandarine
Dinde farcie aux marrons
Escalope de dinde à la crème de curry et aux poivrons
Chapon sauce sambre et meuse

Fromagerie Ruban Bleu

Fromagerie **Montérégie**
449, St-Simon, St-Isidore (450)454-4405
Ouvert le midi et en soirée du mar au dim.

Fromage à pâte molle affiné en surface *La P'tite Chevrette*, fromage à pâte molle à croûte fleurie *Le Saint-Isidore*, fromage à pâte molle non-affiné *La Pampille*.

Le Fin Gascon

Restaurant **Montérégie** **spéc. françaises**
53, boul. Wilfrid-Laurier, Beloeil (450) 464-5255
Ouvert mer, jeu, dim de 17h-21h/ven-sam de 17h-22h.

TABLE D'HOTE

Incluant velouté, terrine de canard et café, thé ou tisane

Confit de canard au thym et moutarde forte	20.00
Cassoulet toulousain	22.00
Magret de canard aux bleuets	23.00
Médaillons d'autruche à la saveur de noisettes	26.00

MENU DES FINS GOURMANDS 27.95

Velouté du jour ou terrine de canard
Salade aux noix et vinaigrette au roquefort
Carré de porc grillé au gingembre et au miel ou longe de requin grillée, sauce provençale
Mousse givrée au citron et chocolat
Café régulier

LES DESSERTS

Crème brûlée au miel et framboises	5.50
Profiteroles au chocolat	5.50
Fraîcheur des trois sorbets	5.50

Fleurs d'Asie

Restaurant Montérégie **spéc. thaïl/camb./viet**
876, boul. Laurier, Mont St-Hilaire (450) 467-8150
Ouvert tous les jours, le midi et en soirée.

LES PLATS PRINCIPAUX

Légumes d'Asie dans une sauce spéciale	8.15
Nouilles sautées avec bœuf, crevettes et légumes	8.95
Poulet aux champignons	8.95
Bœuf au gingembre	10.95
Poulet au gingembre	10.95
Brochettes aux choix (poulet, bœuf, crevettes)	11.50
Crevettes asiatiques (aux poireaux et poivre)	11.95
Crevettes panées, sauce aigre-douce	11.95
Poulet, porc et crevettes, sauce aux légumes	13.95

LE VEAU

Veau, sauce citronnée	13.95
Veau, jambon de Parme, fond de veau et sauge	17.95
Veau, champignons exotiques et fond de veau	18.95

LES POISSONS

Saumon de l'Atlantique, sauce à l'orange	21.95
Crevettes, vin blanc et sauce rosée	26.95
Crevettes flambées au cognac, sauce tomate	28.95

LES DESSERTS

Tiramisu	4.95
Tartuffo	4.95
Crème brûlée	5.95

Il Mastro

Restaurant **Montérégie** **spéc. italiennes**
265, rue Duvernay, Beloeil 450) 467-8080
Ouvert du mar au dim en soirée / mar au ven le midi.

TABLE D'HÔTE

Comprenant soupe du jour, salade du chef et escargots gratinés, riz, pommes de terre, légumes et dessert

Fettucine aux fruits de mer	9.95
Côtelettes d'agneau aux fines herbes	12.95
Filet de sole avec crevettes	14.95
Filet de poulet avec langoustines	15.95
Rib Steak (12 onces)	16.95
Escalope de veau avec champignons Portobello	17.95
Trio de viandes : poulet, agneau et filet mignon	22.95
Terre et mer	24.95

J.M. et M. Tardif

Cidrerie **Montérégie**
150, rang de la Montagne, Rougemont (450) 469-2521
Autocueillette les fins de semaine en saison.

Cidre fort et sec *Pomme d'Or*, cidre mousseux, fort et sec *Pomme d'Or*.

Mamma Mia

Restaurant **Montérégie** **spéc. italiennes**
68, rue St-Charles, St-Jean-sur-Richelieu(450) 357-1400
Ouvert du mar au dim en soirée.

LES ENTRÉES

Salade d'épinards, vinaigrette dijon et miel	4.25
Palmiers, avocats, parmesan et noix	4.95
Coquilles farcies au thon, ricotta et câpres	4.95
Croûtons de fromage gorgonzola chaud en salade	5.95
Jambon proscuitto et melon	**6.95**

LES PLATS PRINCIPAUX

Linguini roquefort, crème, vin blanc, proscuitto	10.95
Penne huile, ail, basilic, légumes	10.95
Spaghetti huile, ail, bacon, tomates, escargots	12.95
Linguini huile, ail, pétoncles, crevettes, tomates	14.95
Jarret de veau au four, sauce tomate, vin blanc	13.95
Escalopes farcies, proscuitto, fromage, porto	15.95

Miel Nature

Hydromellerie **Montérégie**
395, ch du Canal, Melocheville (450)429-5869
Ouvert tous les jours de 8h-20h.

Vin de miel (hydromel) *Magie d'Amour*, vin de miel (hydromel) *Le Galet*, vin de miel (hydromel) *Cuvée Melocheville.*

Les Pignons Verts

Auberge **Montérégie** **spéc. françaises du terroir**
2158, chemin Nicolas Austin, Austin (819) 847-1272
Ouvert tous les jours à l'exception des jeu et dim soirs.

Entrées au choix
Cœurs d'artichauts et palmiers au jus d'agrume
Feuilleté d'escargots au bleu bénédiction
Salade chaude de foie de canard
Saumon fumé (léger supplément)
Potage du jour

Plats principaux
Filet de porc farci
Poitrine de poulet farcie au riz sauvage
Magret de canard à la liqueur de prunes
Longe d'agneau rôtie à la menthe
Râble de lapin au fromage de chèvre de l'abbaye
Filet de doré au beurre blanc
Trou normand ou salade de saison
Fromages de l'abbaye (léger supplément)
Assortiment de desserts

La Rabouillère

Gîte et table **Montérégie** **spéc. rég. et fran.**
1073, rang de l'Égypte, St-Valérien (450) 793-4998
Ouvert mar au dim en soirée et mar au ven le midi.

MENU BRUNCH 25.00
Cocktail et canapés
Croissants, petits pains et muffins
Terrine d'agneau, magret de canard, rillettes de lapin, confiture maison et yogourt de chèvre
Quiche aux légumes, quiche au confit de pintade, lardons sautés, cuisses de canard, pommes de terre, ratatouille, Mesclun
Plateau de fromages et fruits
Gâteau mousse au fromage et chocolat et coulis ou crêpe aux poires et pacanes caramélisées
Café, thé ou infusion

La Rabouillère (suite)

MENU TABLE CHAMPÊTRE

Cocktail et canapés
Entrée au choix
Potage au choix
Granité aux fruits de la saison

Plats principaux au choix

Cuisse de canard bourguignon	35.00
Couscous d'agneau aux légumes du jardin	35.00
Râble ou cuisseau de lapin farci et sauce au choix	37.00
Suprême de pintade et sauce au choix	42.00
Magret de canard, sauce au vinaigre de framboise	42.00
Gigot d'agneau, sauce au miel et romarin	42.00
Pigeonneau à la niçoise	45.00
Carré d'agneau, sauce aux cerises de terre	45.00

Plateau de fromages de la Montérégie
Dessert au choix, café, thé ou infusion

LES MÉCHOUIS — entre 25.00 et 35.00

Choix d'entrées
Choix de salades
Pommes de terre, couscous aux légumes, riz
Abats sautés à l'ail et saucisse merguez
Agneau, lapin, porc sur broche
Choix de sauces
Plateaux de fromages de la Montérégie
Choix de desserts

Roma Antiqua

Restaurant **Montérégie** **spéc. italiennes**
4900, boul. Taschereau, Greenfield Park (450) 672-2211
Ouvert du lun-ven de11h-22h et les sam-dim en soirée.

LES ENTRÉES

Salade César	3.50
Escargots bourguignons	3.95
Fondue parmesan	3.95
Cœurs d'artichauts	3.95
Moules marinières	5.95
Calmars frits au citron	5.95
Proscinto Melone	6.95
Saumon fumé	6.95

LA TABLE D'HÔTE

Incluant soupe, salade et café ou thé

Cannelloni maison au gratin	9.95
Pasta campagnola	10.95
Paglia e fieno pescatore	11.95
Trio de pâtes fraîches gratinées	12.95
Linguini aux fruits de mer	13.95
Poulet et crème de champignons	13.95
Brochette de poulet	14.95
Scallopine andriatico	15.95
Brococcine alla romana	15.95
Escalope de veau fiorentina	16.95
Duo de poisson frais	16.95
Cocotte de fruits de mer et de veau	16.95
Filet mignon sauce au poivre	18.95
Délice de la mer	19.95
Piato misto	19.95

MENU DU JOUR EN SEMAINE

Incluant soupe ou salade et café ou thé

Salade mimoza	5.95
Duo de pâtes	6.95
La suggestion du chef	6.95
Filet de poulet frais grillé	7.95

Royaume de la Thaïlande 🍷

Restaurant **Montérégie** **spéc. thaïlandaises**
4904, Taschereau, Greenfield Parc (450) 672-3051
Ouvert du lun au dim en soirée et en semaine le midi

LES HORS-D'ŒUVRE

Soupe aux asperges et au crabe	2.95
Soupe aux crevettes	3.75
Soupe aux fruits de mer	4.25

LES SALADES

Thaïlandaise	7.95
Poulet	7.95
Crevettes	9.95
Fruits de mer	9.95

LES PLATS PRINCIPAUX

Riz frit aux légumes	6.50
Riz frit au crabe	6.95
Vermicelles thaïlandais (Pad Thaï)	6.95
Nouilles croustillantes avec légumes	7.50
Riz frits aux crevettes	7.95
Nouilles croustillantes avec poulet	8.95

La Saïgonnaise 🍷

Café-restaurant **Montérégie** **spéc. vietnamiennes**
213, rue Richelieu, St-Jean-sur-Richelieu (450) 347-8484
Ouvert le midi du mar-ven et en soirée du mer-dim.

LES PLATS PRINCIPAUX

Accompagnés d'une soupe et de **rouleaux impériaux**

Nid d'amour aux légumes et tofu	8.95
Nid d'amour aux fruits de mer	12.95

Accompagnés en plus de riz blanc ou vermicelle

Poulet à la sauce aux huîtres	9.95
Bœuf à l'orange	9.95
Calmar au gingembre	9.95
Crevettes à la citronnelle	12.95
Fricassée de crustacés	12.95
Légumes variés sautés aux fruits de mer	13.95

La Seigneurie de Newton 🍷

Table **Montérégie** **spéc rég et franç.**
730, 3e rang, Ste-Justine-de-Newton (450)764-3420
Sur réserv. min4 pers. + petite salle « La Verrière » disp.
Fermé fin fév à fin avril (voir Au Canton de Newton pour cette période).

MENU « SPÉCIALITÉ FAÏSAN »
Terrine de foie de faisan et rillettes au poivre vert
Potage saisonnier
Feuilleté aux épinards
Faisan au cognac
Carottes persillées ou légumes saisonniers
Riz aux fines herbes
Salade de la maison centenaire
Fins fromages régionaux
Crêpes à l'érable et tartelettes au sirop d'érable
Café, thé, infusions

MENU « FESTIN D'AGNEAU »
Cocktail de bienvenue
Rillettes d'agneau et chutney de betteraves
Potages symphonie
Roulé au brocoli
Sorbet aux fruits
Carré d'agneau du Québec au basilic
Pommes de terre au romarin
Légumes de saison
Fondue à l'érable maison

Vergers Denis Charbonneau

Cidrerie **Montérégie**
567, rang de la Montagne, Mt-St-Grégoire (450) 347-9184
Possibilité de tables champêtre sur réservation.

Cidre fort et sec *Le Fermier*, cidre léger et sec *Le Mousseux du Fermier*, cidre rosé, léger et sec Mousseux *Rosée de la Pomme.*

Verger Léo Boutin

Cidrerie **Montérégie**
710, rang de la Montagne, Mt-St-Grégoire(450) 346-3326
Ouvert à l'année du mardi au dimanche de 10h-17h.

Cidre léger et doux *Crémant de Pomme du Minot*, cidre léger et doux *Crémant de Pomme du Minot Rosé*, mistelle *Du Minot Doré*, cidre léger et demi-sec La Bolée, cidre mousseux, léger et sec *Domaine du Minot*, cidre mousseux et doux *Clos du Minot Tradition*, cidre mousseux et doux *Clos du Minot Rosé.*

Les Vergers Petit et Fils

Cidrerie **Montérégie**
1020, ch. de la Montagne, Mt-St-Hilaire (450) 467-9926
Ouvert à l'année tous les jours de 10h-17h.

Cidre léger et sec Petit Pomme, cidre fort et sec Petit Pomme, cidre mousseux, léger et sec Champomme.

Viêt-Nam

Restaurant **Montérégie** **spéc. viet. et thaï**
992, Des Cascades Ouest, St-Hyacinthe (450) 773-8101
Ouvert du mar-ven midi et soirée / sam-dim en soirée.

EXEMPLES DE REPAS
Incluant soupe au choix et café ou thé au jasmin

Filet de poulet mariné au curry et citronnelle	11.50
Sauté de fruits de mer avec légumes	12.95
Sauté de canard BBQ avec légumes et nouilles	12.95

Vignoble Angell

Vignoble, repas champêtre Montér. spéc. rég. et méchoui
134, St-Georges, St-Bernard-de-Lacolle (450) 246-4219
Pour 25 à 200 pers (par ex. mariages).
Ouvert du 15 mai au 15 octobre sur réservation.

Produits:
Vin rouge *Angell*,
vin blanc *Angell*.

MENU AVEC RÔTI DE BŒUF 30.00/35.00
Servi avec 1/2 bouteille de vin
Salade du chef et crudités
Trois sortes de fromages de la région
Pâtés et miche de pain levain
Rôti de bœuf servi avec légumes
Sauce aux poivres
Pommes de terre au four
Tarte aux pommes maison et crème glacée, café ou thé

MENU VINS ET FROMAGES 15.00/20.00/25.00
Servi avec1/2 bouteille de vin
Salade du chef et crudités
Trois sortes de fromages de la région
Pâtés et miche de pain au levain
Tarte aux pommes maison et crème glacée, café ou thé

MENU MÉCHOUI 35.00/40.00
Servi avec 1/2 bouteille de vin
Salade du chef et crudités
Trois sortes de fromages de la région
Pâtés et miche de pain au levain
Agneau et porc cuits sur feu de bois
Oignons au vin rouge
Sauces variées
Pommes de terre au four
Tarte aux pommes maison et crème glacée, café ou thé

Vignoble Cappabianca

Vignoble **Montérégie**
586, St-Jean Baptiste, Mercier (450)691-4212
Il est préférable d'appeler avant de se rendre.

Vin blanc *Cappabianca*, vin rouge *Cappabianca*, vin de glace *Cappabianca*.

Vignoble Clos de la Montagne

Vignoble, cidrerie **Montérégie**
330, de la Montagne Est, Mont-St-Grégoire (450)358-5628
Visites tous les jours avril-nov + fins de sem. déc-jan.

Vin rouge *Saint Grégoire*, cidre fort *Pomme sur Lie*, cidre apéritif fort *Pomme sur Lie.*

Vignoble Clos Saint-Denis

Vignoble **Montérégie**
1149, ch des Patriotes, Saint-Denis (450)787-3766
Ouvert à l'année de 9h-18h. En nov. il est préférable de téléphoner avant de se rendre.

Vin blanc *Cuvée Saint-Denis blanc*, vin rouge *Cuvée Saint-Denis rouge*, vin blanc ou rouge *Cuvée Montérégienne*, vin blanc *Vin de Mon Pays*, vin de dessert *Pomme de Glace*, cidre léger *Cidre du Bourg St-Denis.*

Vignoble des Pins

Vignoble **Montérégie**
136, rg Grand-Sabrevois, St-Anne-de-Sabrevois(450)347-1073
Ouvert à l'année.

Vin blanc *Pin blanc*, vin blanc *Edelweiss*, vin rouge *Maréchal Foch*, vin rosé *Alpenrose*, vin mousseux *Mousse des Pins*, vin blanc *Geisenheim.*

Vignoble Dietrich-Jooss

Vignoble **Montérégie**
407, ch de la Grande-Ligne, Iberville (450)347-6857
Ouvert mi-avril à la fin octobre.

Vins blancs: *réserve du vigneron*, *Cuvée* Spéciale, *Storikengold*; vin rouge *Réserve des tonneliers*, vin rosé *d'Iberville*, vin blanc (de vendange tardive*) Cuvée Stéphanie.*

Vignoble Domaine de l'Ardennais

Vignoble **Montérégie**
158, ch Ridge, Stanbridge East (450)248-0597
Ouvert à l'année.

Vin blanc *Domaine de l'Ardennais Seyval*, vin rouge *Domaine de l'Ardennais Chancellor*, mistelle *Ridgeois,* vin rosé *Côteau de Champlain*, kir, apéritif *Fraisière,* mistelle au sirop de framboise *Flamboyante*, porto *Partois.*

Vignoble La Bauge

Vignoble **Montérégie**
155, rue des Érables, Brigham (450)263-2035
Ouvert à l'année. Visite de juin à octobre.

Vin blanc *Seyval*, vin blanc *Solitaire*, vin rosé *Bête Rousse*, mistelle *L'Aube.*

Vignoble du Marathonien

Vignoble **Montérégie**
318, route 202, Havelock (450)826-0522
Ouvert tous les jours en saison. Hors-saison sur réserv.

Vin blanc *Vignoble du Marathonien*, vin rouge *Vignoble du Marathonien*, vin *Le Vidal*, vin *Cuvée fût de chêne*, vin de glace *Eiswein*.

Vignoble l'Aurore boréale

Vignoble **Montérégie**
1421, Brodeur, St-Eugène-de-Grantham (819)396-7349
Ouvert de mai à oct + fins de sem sur résev de nov à avr

Vin blanc *L'Aurore boréale*, vin blanc *L'Aurore boréale Sélection*, vin rouge *L'Aurore boréale*, vin rouge *L'Aurore boréale Sélection*, vin blanc *Nuits des perséides,* vin rosé *Rosée des peupliers*.

Vignoble Le Royer St-Pierre

Vignoble **Montérégie**
182, route 221, St-Cyrien-de-Napierville (450)245-0388
Ouvert à l'année, visite d'avril à la fin novembre.

Vin blanc *Les Trois Sols*, vin blanc *La Dauversière*, vin rouge *Terre de Cyprien*, vin rouge *Le Lambertois*, vin rosé *Les Trois sols*.

Vignoble L'Orpailleur

Vignoble **Montérégie**
1086, chemin Bruce, route 202, Duham (450)295-3112
Ouvert à l'année. Visite mi-avril à mi-décembre.

Vin blanc *L'Orpailleur*, mistelle *L'Apérid'or*, vin blanc *Mousse d'Or.*

Vignoble Les Pervenches

Vignoble **Montérégie**
150, chemin Boulais, Rainville (450)293-8311
Ouvert à l'année. Visite de mai à février.

Vin blanc *Les Pervenches Seyval.*

Vignoble Les Arpents de Neige

Vignoble **Montérégie**
4042, rue Principale, Duham (450)295-3383
Ouvert à l'année.

Vin blanc *Vendage* sélectionnée, vin blanc *Cuvée Première neige*, vin rosé *Rosée du Printemps.*

Vignoble Morou

Vignoble **Montérégie**
238, Route 221, Napierveille (450)245-7569
Ouvert à l'année, visite de juin à la mi-octobre.

Vin blanc *Morou blanc*, vin blanc *Clos Napierois*, vin rouge *Morou*, vin rosé *Morou*, vin *Le Rose des Vents* (robe rose foncé), vin *Le Monarque* (robe jaune pâle), vin *La Closerie* (robe dorée).

Vignoble Saint-Alexandre

Vignoble **Montérégie**
364, ch de la Grande-Ligne, St-Alexandre (450)347-2794
Ouvert à l'année.

Vin rouge *Domar*

Les Vins Mustier et Gerzer

Hydromellerie, miellerie, brasserie **Montérégie**
3299, rte 209, St-Antoine-Abbé/Franklin (450) 826-4609
Ouvert à l'année.

Hydromel sec, demi-sec ou doux *Mustier*, hydromel demi-sec à la framboise *Mustier*, cocktail *Mustier*, sangria *Mustier*, bière *St-Antoine-Abbé*. Aussi, une panoplie de produits de miel.

L'apiculteur Gérald Hénault a été honoré en 1988 avec *La Ruche d'Or* et la mention Excellence au concours de l'Excellence apicole (1988) aussi que le Lys d'Or et de Bronze plus récemment au concours Fleurs de Lys (1999).

Maintenant aussi brasseur, M. Hénault a crée une *bière blonde au miel* refermentée en bouteille, naturellement voilée et non-filtrée; elle affiche un degré de 4% d'alcool et offre une saveur de grains.

Vue sur la Rivière Yamaska.

Le Carré Saint-Louis.

Montréal

Restaurants :

- L'Académie
- À la découverte
- Al Dente
- Caf & Bouffe
- Après le Jour
- Au Tarot
- Au 917
- Bambou Bleu
- Bistro du Roy
- Bistro L'entrepont
- Chez Anas
- Chez Ennio
- Chez la mère Berteau
- Chez Tung
- La Colombe
- Couscous Royal
- Les Deux Oliviers
- Eduardo
- La Famille vietnamienne
- La Fornarina
- Le Flambard
- Le Goût de la Thaïlande
- Les Héritiers
- Le Jardin de Panos
- Le Jardin de Puits
- Khyber Pass

Restaurants (suite):

- Lélé Da Cuca
- Le Mangoustan
- Michael W
- Pégase
- Le Petit Portefeuille
- Le petit resto
- Pizza Mella
- Pizzeria Napoletana
- Le Piton de la Fournaise
- Pho Viet
- Le Poisson rouge
- La Prunelle
- Le P'tit Plateau
- Les Rites Berbères
- Les Saveurs
- Le Puy du Fou
- Quartier Saint-Louis
- La Raclette
- La Selva
- Vents du Sud
- Yoyo

Gîtes :

- Chez François
- Gîte touristique du Centre-Ville

Boulangerie:

- Le Fromentier

L'Académie

Restaurant **Montréal** **spéc. françaises**
4051, St-Denis (Plateau Mt-Royal) (514) 849-2249
Ouvert tous les jours en soirée.

TABLE D'HÔTE

Incluant potage ou salade et café ou thé

Tagliatelle mediterraneo	12.95
Tilapia grillé aux fines herbes	14.95
Scallopini con crema d'aragosta	15.95
Suprême de poulet farci aux épinards	15.95
Tournedos de filet de saumon grillé	16.95
Linguini noir fruitta di mare	17.95
Magret de canard, sauce au Porto et framboises	19.95
Carré d'agneau, sauce au romarin	21.95
Mosaiquo di pesca	22.95

À la découverte

Restaurant **Montréal** **spéc. françaises**
4350, ch Colomb (Pl. Mt-Royal) (514)529-8377
Ouvert du mercredi au samedi de 17h-23h.

MENU

Salade ou potage	5.00
Choix d'entrées	
Mousse de foie de canard	8.00
Calmars sautés à l'Ail	8.00
Graviaux de truite saumonée	8.00
Choix de plats	
Coquilles sicilienne farcis florentine	17.00
Civet de caribou	21.00
Suprême de volaille farci au sanglier et orange	21.00
Poitrine de veau glacé au fromage à la crème	23.00
Filets d'agneau au boursin de chèvre	25.00
Rôti d'autruche, pesto, chitake	27.00
Choix de desserts	
Tiramisu	6.00
Gâteau à la pâte d'amande	6.00

Al Dente

Restaurant **Montréal** **spéc. italiennes**
5768, Monkland (N.D.G.) (514) 486-4343
Ouvert du lun au ven le midi et du lun au dim en soirée

LES ENTRÉES

Jambon italien avec melon	5.95
Moules, sauce tomate, échalotes, ail et vin blanc	5.95

LES PÂTES

Nouilles au choix, accompagnées des sauces suivantes

Puttanesca	8.95
Carbonara	8.95
Provençale	9.25
Au pesto	9.25

LES PIZZAS AU FOUR À BOIS

Florentine	8.50
Americana	8.99
Vegetariana	9.85
Quattro Formaggia	10.60

Après le Jour

Restaurant **Montréal** **spéc. françaises et italiennes**
901, rue Rachel Est (514) 527-4141
Ouvert tous les jours en soirée.

TABLE D'HÔTE

Incluant potage du jour, dessert et café

Spaghetti à l'émincé de saumon et vodka	16.95
Foie de veau aux bleuets	17.95
Rognons de veau à la moutarde de Meaux	18.95
Tartare aux deux saumons, sauce basilic	19.95
Tartare de bœuf et sa garniture	20.95
Canard confit au cassis sur lit de salade	21.95
Grillon de ris de veau au vinaigre de Xérès	21.95
Duo de flétan et saumon aux agrumes	22.95
Suprême de pintade aux figues et romarin	23.95
Carré d'agneau aux fines herbes	26.95
Côte de bœuf grillée, sauce marchand de vin	29.95

Au 917

Restaurant **Montréal** **spéc. françaises**
917, Rachel Est (514) 524-0094
Ouvert du mardi au dimanche en soirée.

LES ENTRÉES

Salade verte	6.25
Pâté de campagne	6.95
Mousse de foie de volaille	7.25
Avocat de vinaigrette	7.25
Artichauts et vinaigrette	7.50
Avocat farci au crabe	7.95
Endives et vinaigrette	7.95
Salade César	7.95
Fricassée d'escargots	8.50
Escargots à la provençale	8.50
Salade tiède de canard	8.95
Saumon fumé	8.95

TABLE D'HÔTE

Incluant potage du jour, salade verte ou pâté de campagne

Cannelloni maison au gratin	13.95
Langue de veau	14.95
Bœuf bourguignon	15.95
Aiglefin à la Niçoise	15.95
Suprême de volaille aux pommes	17.95
Bavette de bœuf, sauce au poivre ou moutarde	18.95
Rognon de veau à la dijonnaise	19.95
Saumon aux petits légumes	21.95
Mignon de porc aux raisins	22.95
Filet d'agneau à l'estragon	22.95
Ris de veau aux poires	22.95
Filet mignon aux trois poivres	22.95
Magret de canard et cuisse confite, sauce orange	22.95

MENU DE DÉGUSTATION 29.95

Potage du jour
Choix d'entrée à la carte
Salade verte
Choix de plat de résistance à la carte
Choix de dessert à la carte
Café, thé ou infusion

Au Tarot

Restaurant **Montréal** **spéc. marocaines**
500, Marie-Anne (514) 849-6860
Ouvert tous les jours en soirée.

TABLE D'HÔTE 24.95

Choix d'entrée
Potage aux légumes
Salade panachée

Entrée à la carte
Entrée de merguez maison 6.75
Entrée d'escargots gratinés à l'ail 6.75

Choix de plats principaux
Tajine d'agneau aux pruneaux et abricots
Pastilla du Maroc au poulet
Couscous au poulet boucanier
Carré d'agneau à la moutarde
Couscous au veau de grain

Bambou Bleu

Restaurant **Montréal** **spéc. vietnamiennes**
3985, St-Denis (Pl. Mt-Royal) (514) 845-1401
Ouvert tous les jours de 11h30 à 23h30.

LES SPÉCIALITÉS
Bœuf sauté au choix : 6.45
Au cari, aux légumes ou aux brocolis, champignons et maïs

Calmar au choix : 7.95
Panné ou aux crevettes et sauté aux tomates

Moules au choix : 7.95
Sautées au cari ou à la citronnelle

Cuisses de grenouille au choix : 7.95
Sautées à la citronnelle ou pannées

Crevettes aux choix : 8.25
Sautées à la sauce piquante ou aux ananas

Bistro du Roy

Restaurant Montréal spécialités françaises
3784,Montana (coin Roy) (Pl. Mt-Royal) (514) 525-1624
Mar-mer 18h-21h;jeu,ven 17h30-22h;dim 9h-14h/18-21h

TABLE D'HÔTE

Incluant potage du jour ou salade du Bistro

Choix d'entrées
Chèvre chaud pané sur salade aux noix de Grenoble
Poêlée d'escargots à l'ail sur coulis de tomates à l'origan
Gaspacho-Andalou avec crème fouettée au basilic

Choix de plats principaux

Rognons de veau sautés, chasseur	26.95
Fricassée de lotte aux lardons et champignons	30.95
Mignon de bœuf au Bleu d'Auvergne	33.95
Filet mignon de porc et d'agneau au romarin	34.95
Piccata de ris de veau braisés au Porto	34.95
Magret de canard au poivre et aux poires	34.95

Bistro L'Entrepont

Restaurant Montréal spéc. françaises
4622, de l'Hôtel-de-Ville (Pl. Mt-Royal) (514) 845-1369
Ouvert tous les jours en soirée.

LES ENTRÉES

Terrine maison	7.00
Salade du marché	7.00
Assiette de chèvre chaud	7.50
Feuilleté d'escargot au roquefort	7.50
Salade tiède au goût du jour	7.50
Sorbet aux agrumes et à la vodka	6.00

LES PLATS PRINCIPAUX

Incluant potage du jour et café

Confit de canard aux flageolets	17.00
Rognons de veau dijonnais	17.00
Escalope de saumon pochée à l'aneth	17.50

Bistro L'Entrepont(suite)

Noisettes de porc au poivre et bleuets	18.00
Suprême de canard au vinaigre de framboises	18.50
Ris de veau aux champignons des bois	19.50
Caille au porto farcie de raisins de muscat	19.50
Carré d'agneau aux fines herbes	21.50
Filet mignon de bœuf, sauce poivrade et cognac	23.50
Assiette de fromages	8.00

LES DESSERTS

Palais royal (tarte à la mousse au chocolat)	6.00
Sorbets au cassis, mangue et citron	6.00
Gâteau au fromage et coulis aux fraises	6.00
Mousse au chocolat noir, sauce anglaise au café	6.00
Génoise au chocolat et mousse à l'orange	6.00
Mousse glacée au Grand Marnier et chocolat	6.00

Caf & Bouffe

Restaurant **Montréal** **spéc. italiennes**

171, Villeray Est (514) 277-7455

Ouvert en soirée du mardi au samedi.

TABLE D'HÔTE 15.95-19.95$

Choix d'entrées

Brie en croûte
Tarte à l'oignon
Pâté de foie au porto

Choix de plats principaux

Linguine aux olives & pistaches, sauce aux huiles
Linguine aux rappinis & poivrons, sauce aux huiles
Penne à la Russe, sauce aux tomates
Penne arabiata, sauce aux tomates
Fettucine au saumon fumé, sauce à la crème

Choix de desserts

Tiramisu ou millefeuilles

Chez Anas

Restaurant **Montréal** **spéc. vég. et internationales**
4074, Wellington, Verdun (514) 769-0658
Ouvert du lun au sam de 10h à 22h.

LES ENTRÉES

Potage maison	2.50
Escargots à la crème	6.25
Assiette de saumon fumé	7.95

LES PLATS VÉGÉTARIENS

Gratin d'aubergine	7.95
Crêpes primavera	8.95

LES PLATS PRINCIPAUX

Tortillas de poulet	8.95
Volaille à l'orientale	9.95
Cuisse de canard	10.95
Tournedos de bœuf	10.95
Escalope de veau parmigiana	13.95

Chez Ennio

Restaurant **Montréal** **spéc. italiennes**
1978, De Maisonneuve Ouest, Montréal (514) 933-8168
Ouvert du mar au dim en soirée.

TABLE D'HÔTE 27.50

Incluant soupe du jour et salade mixte

Choix de plats principaux :
Escalope de veau au Marsala
Escalope de veau forestière
Piccata de veau au citron
Escalope de veau pizzatola

Dessert et café thé ou tisane

LES SPÉCIALITÉS DE LA MAISON

Cailles à la Toscane	20.25
Lapin à l'estragon	22.50
Entrecôte Café de Paris	22.50

LES POISSONS

Filet de sole aux amandes	18.50
Filet de truite aux câpres	18.50
Darne de saumon grillé	19.50

LES PÂTES

Gnocchi, sauce cardinale	15.25
Linguini aux Palourdes	15.50
Raviolis farcis aux épinards	16.00

Chez François

Gîte **Montréal**

4037, Papineau (Pl. Mt-Royal)
(514) 239-4638
Ouvert toute l'année.

Le gîte dispose (pour certaines chambres) d'une aire pour manger avec cuisine d'appoint; plusieurs traiteurs sur le plateau Mont-Royal peuvent fournir d'excellents plats cuisinés que vous pouvez déguster avec du vin que vous aurez apporté.

Chez la mère Berteau

Restaurant **Montréal** **spéc. françaises**
1237, Champlain, (centre-sud) (514) 524-9344
Ouvert du mar au dim en soirée et du mar au ven le midi.

LES HORS-D'ŒUVRE

Terrine de chevreuil maison	6.95
Chèvre chaud sur croûton et salade	7.75
Magret de canard séché maison et salade	7.95

LE MENU GIBIER

***Comprenant potage du jour ou salade verte, dessert du jour,* café , thé ou infusion**

Médaillon de caribou sauce bordelaise	25.95
Médaillon de chevreuil sauce mures et framboises	25.95
Médaillon de sanglier sauce aux bleuets	25.95

LES TABLES D'HÔTE

Comprenant potage du jour ou salade verte, dessert du jour, café , thé ou infusion

Émincé de poulet aux poivrons sauce moutarde	14.95
Cuisses de canard confites et salade	17.95
Steak de bavette de bœuf marchand de vin	17.95
Escalope de saumon au beurre blanc	20.95
Carré d'agneau sauce au thym et basilic	22.95
Paupiette de veau farcie aux trois gibiers	21.95
Duo de crevettes et pétoncles au beurre basilic	22.95

Chez Tung

Restaurant **Montréal** **spéc. vietnamiennes**
288, rue Laurier Ouest, Montréal (514) 278-6753
Ouvert tous les jours en soirée.

LA TABLE D'HÔTE

Incluant soupe mini-tonkinoise et rouleaux impériaux

Crevettes et poulet sautés aux Chop Suey	10.95
Poulet grillé, sauce aigre-douce ou piquante	10.95
Crevettes et poulet sautés au gingembre	10.95
Calmars et poulet à la sauce piquante	10.95
Saumon grillé à la sauce piquante	10.95
Crevettes et poulet à la sauce aux arachides	10.95
Crevettes et poulet piquants à la citronnelle	10.95
Crevettes et poulet à la sauce aigre-douce	10.95
Crevettes et bœuf sautés et haricots verts	10.95
Poisson tilapia, sauce aigre-douce ou piquante	10.95
Crevettes et poulet sautés aux légumes	11.95

LES DESSERTS

Bananes, pommes ou ananas frits	1.50

Vue du Mont-Royal de la rue Rachel.

La Colombe

Restaurant Montréal **spéc. françaises**
554, Duluth Est (Pl. Mt-Royal) (514) 849-6686
Ouvert tous les jours en soirée.

TABLE D'HÔTE 30.00

Potage du jour

Choix d'entrées
Salade de fenouil, haricots verts et filet de canard
Petit-gris au Pernod

Choix de plats principaux
Côte de veau de lait, sauce aux champignons (extra 6.00)
Gigue de cerf de Boileau, sauce poivrade
Espadon à la vierge de tomate et estragon
Crevettes au pesto et basilic
Carré d'agneau, sauce au vinaigre de framboise
Ris de veau au jus d'ananas et miel épicé
Cuisse de canard confite de Marieville, sauce porto

Choix de desserts
Tarte aux pêches et crème d'amande
Crêpe à la crème pâtissière, sauce au chocolat

Couscous Royal

Restaurant **Montréal** **spéc. marocaines**
919, rue Duluth Est, Montréal (514) 528-1307
Ouvert en soirée du mercredi au dimanche.

LES ENTRÉES

Soupe aux tomates, pois chiche et agneau	2.50
Soupe Harira	3.50
Salade maison	3.95
Hommos	3.95
Merguez maison	5.00
Crevettes à l'ail	5.00
Pastilla	5.50
Pastilla aux fruits de mer	5.50

LES PLATS PRINCIPAUX

Couscous aux légumes	6.95
Brochette de poulet sur riz	7.95
Couscous aux merguez ou à l'agneau	8.95
Tajine aux poulet et olives	8.95
Tajine agneau et prunes	8.95
Couscous aux pétoncles	9.95
Couscous aux trois viandes	9.95
Couscous aux brochettes de poulet, merguez, lég.	11.75
Couscous aux côtelettes d'agneau et aux légumes	12.75
Méchoui et couscous aux légumes	12.75
Couscous royal	12.75
Couscous aux brochettes de crevettes et légumes	13.75

LES DESSERTS

Pâtisseries marocaines	2.50
Latchine	2.50

Montréal et son histoire

Les Deux Oliviers

Restaurant Montréal spéc. françaises et italiennes
500, Duluth Est (Pl. Mt-Royal) (514) 848-1716
Ouvert tous les jours en soirée.

LES ENTRÉES

Moules marinières	4.75
Salade de chèvre	5.50
Avocat aux crevettes	5.50

LES PÂTES FRAÎCHES

Au choix : spaghetti, fettucini ou linguini

Sauce primavera	7.95
Sauce alfredo	9.50
Sauce aux fruits de mer	13.50
Pennine arabiata	7.95
Tortellini sauce rosée	10.95
Cannelloni gratiné	10.95
Lasagne aux fruits de mer	13.95

LES POISSONS

Servis avec pâtes fraîches et légumes du jour

Calmar grillé	6.50
Steak de saumon grillé	13.95

LES ESCALOPES DE VEAU

Servis avec pâtes fraîches et légumes du jour

Au poivre vert et crème	14.95
Parmigiana	14.95
Paysanne	14.95

LES PLATS CUISINÉS

Cailles à la Provençale	13.95
Osso Buco calabrais	14.95

Eduardo

Restaurant **Montréal** **spéc. italiennes**

1014, rue Laurier ouest (Outremont) (514) 948-1826
404, ave Duluth est (Pl. Mt-Royal) (514) 843-3330
Ouvert tous les jours en soirée et le midi en semaine.

LES ENTRÉES

Fondue au parmesan	3.95
Aubergines gratinées	3.95
Jambon de Parme et melon	4.95

LES SALADES

Salade César	4.25
Salade danoise	4.95

LES FRUITS DE MER

Six crevettes avec sauce créole	10.95
Crevettes, pétoncles, palourdes et cravies	10.95

LE VEAU

Côtelette panée, sauce au beurre, vin et persil	10.95
Côtelette aux zucchinis, aubergines, tomates	10.95
Escalope sauce au citron	10.95
Escalope sauce à la crème et aux champignons	10.95

LES PÂTES

Spaghetti au bacon, oignons, vin blanc, tomates	7.95
Spaghetti au pesto	7.95
Fettuccine Alfredo	7.95
Linguini sauce aux palourdes (blanche ou rouge)	7.95
Tortellini à la viande ou au fromage	7.95
Lasagne à la romaine (avec saucisses)	7.95

La Famille vietnamienne

Restaurant **Montréal** **spéc. vietnamiennes**
4051, St-André (Pl. Mt-Royal) (514) 524-5771
Ouvert du mardi au dimanche en soirée.

LES PLATS PRINCIPAUX

Accompagné de riz ou de vermicelles de riz

Poulet aux champignons et pois de neige	7.50
Poulet grillé à la citronnelle	7.50
Pot de riz au poulet et pousses de bambou	7.50
Bœuf sauté aux légumes	7.75
Bœuf sauté au cari	7.75
Brochettes de crevettes (3)	8.50
Rôti de cailles	8.00
Cuisses de grenouille	8.75
Fruits de mer sur nid d'hirondelle	9.25
Brochette de pétoncle	9.25
Poisson frit	9.95

La Fornarina

Restaurant **Montréal** **spéc. italiennes**
6825, St-Laurent (514) 271-1741
Ouvert lun-ven midis et soirs et les soirs les fins de sem.

LES ENTRÉES

Viande froide, légumes, cantaloup, prosciutto	8.95
Calmar frit	8.95

LES PLATS PRINCIPAUX

Pizza à l'américaine	10.95
Linguine primavera	11.95
Cannellonis farcis à la viande et gratinés	12.25
Poitrine de poulet au poivre vert, crème et cognac	13.95
Filet de saumon, vin blanc, poivre rose et ail	14.95
Veau parmigiana	14.95

LES DESSERTS

Tiramisu maison	4.25
Gâteau mousse au chocolat	4.25

Le Flambard

Restaurant Montréal spéc. françaises
851, Rachel Est, Montréal (514) 596-1280
Ouvert tous les jours en soirée.

LA TABLE D'HÔTE

Potage maison 16,95
Rosette de Lyon ou céleri rémoulade ou salade aux lardons
Choix de plats principaux
Filet de truite grillé aux fines herbes
Rognons de veau à la moutarde de Meaux
Foie de veau de lait aux échalotes
Bavette à la Bordelaise
Café, thé ou tisane

Potage maison 25.65
Entrée au choix
Choix de plats principaux
Tian de pétoncles, sauce au vin blanc
Escalope de saumon sauce Cardinal
Noisette d'agneau Germaine
Noisette d'agneau dijonnaise
Dessert au choix et café, thé ou tisane

Le Flambard (suite)

Potage maison 20.65
Salade aux lardons, salade de hareng ou terrine de foie
Choix de plats principaux
Tartare de filet mignon
Cassoulet maison
Confit de cuisses de canard
Grillon de ris de veau au vinaigre de Xérès

Le Fromentier

Boulangerie **Montréal**
1375, Laurier (Pl. Mont-Royal) (514) 527-3327
Ouvert du mar-sam de 7h-19h, dim de 7h-18h.

Pains au levain faits de farines biologiques, pain au fromage, pain aux 7 grains, pain aux olives, pain *Masqué* (avec farine et seigle), pain *Baluchon, Le Petit Pendu, Le Passionné, Le Fongliasse, Le Panophile, Le Fromentier.*

Gîte touristique du Centre Ville

Gîte **Montréal**
3523, Jeanne-Mance (Pl. Mont-Royal)
Chambres disponibles sur réservation. (514) 845-0431

En plus du petit déjeuner, le gîte offre un accès à une cuisine indépendante située à l'arrière et donnant sur le jardin. Les logeurs peuvent y accompagner leur repas (qu'ils préparent eux-mêmes) du vin qu'ils ont apporté.

Le Goût de la Thaïlande

Restaurant **Montréal** **spéc. thaïlandaises**
1345, Fleury Est, Montréal (514) 384-0806
2229, Mont-Royal Est, Montréal (514) 527-5035
3865, Wellington, Verdun (514) 761-3555
Ouvert le midi du lun au ven et en soirée du lun au dim.

REPAS COMBINÉS (exemple)
Soupes à la citronnelle pour 2 pers. 19.95
Poulet et bœuf (sauce au choix) avec riz vapeur

Les Héritiers

Restaurant **Montréal** **spéc. françaises**
5091, de Lanaudière (Pl. Mt-Royal) (514) 528-4953
Ouvert tous les jours sauf le lundi et mardi.

LES ENTRÉES

Pâtes fraîches, sauce au fromage de chèvre	6.50
Salade tiède de gésiers de canard confits	7.50
Feuilleté d'escargots au Brie et pleurotes	8.00
Assiette de truite fumée	8.50

LES PLATS PRINCIPAUX

Incluant potage et café

Suprême de volaille aux figues et porto	17.00
Confit de canard servi sur nid de laitue	17.50
Rognon de veau à la moutarde de Meaux	18.00
Escalope de saumon à l'oseille	19.00
Magret de canard de Mulard au miel et sésame	19.50
Ris de veau au pineau et aux pommes	21.50
Carré d'agneau au romarin et bulbes d'ail	22.50
Crevettes poêlées au Pernod	22.50
Médaillon de veau aux champignons mixtes	22.50
Filet mignon	23.50

LES DESSERTS

Crème brûlée	4.50
Marquise fondante au chocolat et crème anglaise	6.00
Gâteau au fromage et coulis de fraises	6.00
Coupe de sorbets	6.00

Le Jardin de Panos

Restaurant **Montréal** **spéc. grecques**
521, Duluth Est (Pl. Mt-Royal) (514) 521-4206
Ouvert tous les jours de 11h à 22h30.

LES ENTRÉES

Taramas(salade de poisson)	2.50
Tsatziki (sauce au yogourt, concombre et ail)	3.50
Salade d'aubergines	3.75
Spanakopita	3.75
Dolmas (feuilles de vignes farcies de viande et de riz)	4.95
Pikilia (entrée mixte pour deux pers.)	9.50

LES PLATS PRINCIPAUX

Filet de poulet	12.95
Shish Kebab	13.50
Brochette de poulet	13.50
Côtelettes d'agneau grillées	14.50
Steak de contre-filet	14.95
Brochette de filet mignon	15.50

LES ASSIETTES COMBINÉES

Brochette de poulet et crevettes	17.50
Calmars frits et crevettes	17.50
Brochette de pétoncles et crevettes	17.95

Le Jardin de Panos (suite)

LES SPÉCIALITÉS GRECQUES

Salade grecque	10.50
Moussaka	11.50
Dolmas	11.50

LES DESSERTS

Baklava	2.75
Délices au chocolat	2.95
Crème caramel	3.50

Le Jardin de Puits

Restaurant **Montréal** **spéc . grecques**
180, rue Villeneuve Est (514) 849-0555
Ouvert tous les jours, de 11h à 23h.

MENU 9.95-22.95

Choix d'entrées
Pikilia
Feuilles de vignes maison farcies à la viande et au riz
Taramosalata

Choix de plats principaux
Brochette de poulet
Pythakia (côtes d'agneau à la grecque)
Calmars frits

Khyber Pass

Restaurant **Montréal** **spéc. afghanes**
506, Duluth Est (Pl. Mt-Royal) (514) 844-7131
Ouvert tous les jours de 17h à 23h.

LES BROCHETTES (Kabâb)

Poulet	11.95
Agneau	11.95
Filet mignon	12.95
Cailles	13.95
Côtelettes d'agneau	13.95

LES PLATS PRINCIPAUX

Kofta Chalaw (riz, boulettes de bœuf, sauce tomates)	10.95
Morgh Chalaw (riz, poulet, sauce tomate et salade)	10.95
Kabuli Palaw (riz basmati, épices, agneau ou poulet)	11.95
Sabzi Chalaw (riz basmati, épinards, oignons, agneau)	11.95
Korma Chalaw (riz, agneau, sauce tomate et salade)	11.95
Combo végétarien (riz, épinard, chou-fleur, gongo)	11.95

Lélé Da Cuca

Restaurant **Montréal** **spéc. brésil. et mexic.**
70, rue Marie-Anne Est (Pl. Mt-Royal) (514) 849-6649
Ouvert tous les jours en soirée.

TABLE D'HÔTE / SPÉCIALITÉS BRÉSILIENNES
Incluant soupe, dessert, café, thé ou tisane

Poisson, crevettes, sauce au lait de coco et épices	13.95
Riz au poulet, crevettes, saucisses, sauce tomate	13.95
Poulet cuit au lait de coco, épices, riz et salade	13.95
Crevettes au lait de coco et sauce tomate piquante	13.95

TABLE D'HÔTE / SPÉCIALITÉS MEXICAINES
Incluant soupe, dessert, café, thé ou tisane

Tortilla au chou et fromage, sauce piquante	12.95
Tortilla au chou, fromage, fèves, viande et sauce	12.95
Purée d'avocat, poisson mariné et nachos	13.95
Tortilla au chou, fèves, fromage et sauce piquante	13.95
Poulet à la sauce de cacao amer et aux épices	13.95

Le Mangoustan

Restaurant **Montréal** **spéc . vietnamiennes**
5935, rue St-Hubert (514) 495-9031
Ouvert lun au jeu, 17h-22h / ven au dim, 17h-24h.

Crêpe saïgonnaise aux crevettes, porc et soya	10.50
Poulet à la flamme	10.75
Poulet aux noix d'acajou et crevettes	11.95
Nouilles japonaises avec crabe et crevettes	13.95

Michael W

Restaurant **Montréal** **spéc. franç. et italiennes**
2601, rue Centre,Verdun (514) 931-0821
Ouvert du mardi au dimanche en soirée.

TABLE D'HÔTE DU JOUR 30.00

Salade César ou salade maison

Potage du soir

Poire au bleu

Escargots à l'ail

Choix de plats principaux
Paupiette de veau, sauce forestière
Filet de saumon grillé, sauce aux bleuets et cassis
Poitrine de poulet farcie au fontina et tomates séchées

Pégase

Restaurant **Montréal** **spéc. françaises**
1831, Gilford (Pl. Mt-Royal) (514) 522-0487
Ouvert du mardi au samedi en soirée.

TABLE D'HÔTE

Incluant amuse-bouche, potage du jour ou salade verte, café, thé ou tisane

Les entrées **7.25**
Salade de caille, vinaigre balsamique et amandes
Rosace de saumon mariné et garniture
Cassolette d'escargots au bleu, compote de pommes

Les plats principaux
Filet de talapia aux moules, velouté de corail 24.95
Pavé de flétan à la ciboulette 25.95
Médaillon de veau poêlé, sauce au madère 25.95
Pavé de caribou, sauce aux framboises 26.95
Carré d'agneau aux deux moutardes 26.95

Assiette de fromages au lait cru Maître Corbeau 8.25

Assortiment de desserts 4.25 à 6.00

Le Petit Portefeuille

Restaurant **Montréal** **spéc . françaises**
4593, rue St-Denis (métro Mt-Royal) (514) 849-8929
Ouvert du mer au sam, à partir de 17h.

TABLE D'HÔTE

Choix d'entrées
Potage vert pré, céleri rémoulade, gaspacho ou salade

Choix de plats

Rognon de veau à la moutarde	14.95
Poulet basquaise	15.95
Filet de porc aux bleuets	15.95
Bavette chevaline au Roquefort	17.95
Filet de chevreuil et caille braisée aux framboises	18.95

Choix de desserts

Poire Belle-Hélène	4.25
Fraises Chantilly	4.25

Au Petit Resto

Restaurant **Montréal** **spéc. françaises**
4650, rue de Mentana (514) 598-7963
Ouvert en soirée du mardi au dimanche.

LES ENTRÉES

Soupe de poisson provençale	6.00
Rillettes de lapin	5.75
Mousse de foie de canard au pineau des Charentes	5.75

LES PLATS PRINCIPAUX

Escalope de saumon au beurre blanc	18.50
Noisette d'agneau, sauce moutarde	22.00
Tournedos de porcelet au miel et citron	21.00
Filet mignon, sauce Bleu Ermite	23.00
Tournedos de bison aux canneberges	25.00

LES DESSERTS

Crème brûlée maison	4.25
Tarte au citron	4.75
Royal chocolait	5.25

Pizza Mella

Restaurant **Montréal** **spéc. italiennes**
107, Prince-Arthur Est (Pl. Mt-Royal) (514) 849-4680
Ouvert tous les jours, le midi et en soirée

LES PIZZAS

Cacciatora *(tomate, anchois, piments, fromage)*	12.75
Velutata *(tomate, bacon, courgettes, fromage)*	12.75
Pescatora *(tomate, crevettes, fromage)*	13.95
Frutti di mare *(béchamel, pétoncle, palourdes, etc)*	13.95
Salmone *(béchamel, saumon, oignons, fromage)*	13.95
Spinaci *(tomate, épinards, bacon, fromage)*	13.95

LES PÂTES

Spaghetti napolitain	8,95
Lasagna vegetariana	9.95
Manicotti	9.95
Tortellinis à la cardinale	9.95

Pizzeria Napoletana

Restaurant **Montréal** **spéc. italiennes**
189, rue Dante, Montréal (514) 276-8226
Ouvert tous les jours les midis et en soirée.

LES ENTRÉES

Salade paysanne	7.25
Antipasto napoletana	7.50
Salade au saumon fumé, câpres et oignons	9.75

LES PLATS PRINCIPAUX

Saucisse italienne avec épices	9.50
Pizza aux olives et câpres	11.50
Spaghetti aux palourdes, sauce tomate	12.50
Gnocchi, crème, sauce tomate et parmesan	13.00
Pizza végétarienne	13.00
Pizza aux quatre fromages	13.00
Farfalle au saumon, crème et sauce tomate	14.00
Pizza marinara	14.50

LES DESSERTS

Tartufo	4.75
Tiramisu maison	5.00

Le Piton de la Fournaise 🍷

Restaurant **Montréal** **spéc. Ile de la Réunion**
835, Duluth (Pl. Mt-Royal) (514) 526-3936
Ouvert en soirée du mardi au samedi.

LES ENTRÉES

Gratin de chouchoux (en saison)	3.00
Assiette aux samoussas	3.25
Assiette créole	3.50

LA TABLE D'HÔTE

Incluant choix d'entrée et soupe aux brèdes cresson

Porc bringelle	18.75
Rongail saucisses	19.75
Cari poisson ou rougail crevettes	22.75
Civet zouritte (pieuvre)	24.75

LES DESSERTS

Flan coco des îles	3.00
Piton des neiges	3.50

Pho Viet 🍷

Restaurant **Montréal** **spéc. vietnamiennes**
1663, rue Amherst, Montréal (514) 522-4116
Ouvert tous les jours en soirée et le midi en semaine.

LES HORS D'ŒUVRE

Galettes de crevettes	1.75
Salade de papaye verte	4.75

LES SOUPES

Velouté d'asperges au crabe	3.25
Soupe aigre-douce épicée	3.25

LES SPÉCIALITÉS DE LA MAISON

Soupe tonkinoise (bœuf ou poulet)	4.75
Poisson grillé à la tonkinoise avec soupe	14.00
Fondue vietnamienne *(pour deux pers.)*	21.50

LES PLATS VÉGÉTARIENS

Soupe tonkinoise aux légumes (grande)	5.75
Légumes sautés à la vietnamienne	6.95

Pho Viet (suite)

LES VARIÉTÉS

Bœuf à la citronnelle et vermicelle	7.00
Poulet au cari	7.75
Crevettes sautées, sauce au piment	9.00

LES REPAS COMBINÉS

Petite soupe maison Rouleaux impériaux Poulet grillé et brochette de crevettes Riz et salade Thé au jasmin	12.50
Petite soupe maison Rouleaux impériaux Sizzling impérial Thé au jasmin	une pers. 14.95 deux pers. 29.00

LES NOUVEAUTÉS

Servis avec riz ou vermicelle

Poulet général Tao	7.75
Saumon caramélisé	10.25
Filet de mérou, sauce au gingembre	10.25

LES DESSERTS

Beignets aux bananes ou pommes	2.50
Crème renversée au caramel	2.50
Sorbets : mangue, noix de coco, citron, litchi	3.25

Le Poisson rouge

Restaurant **Montréal** **spéc. poissons**
1201, rue Rachel Est (514) 522-4876
Ouvert du mardi au samedi de 17h30 à 21h30 sur réserv.

LES ENTRÉES **9.00**
Gâteau de foie de canard aux cerises confites
Escargots et shitake à la pomme
Aubergines rouges au gratin de Coulommiers
Moules au pastis
Saucisson de homard
Gravlax
Petit ragoût d'écrevisses, seiches et pleurotes
Palets de crabe au raifort
Ravioli de crevettes Océane
Épigramme de chèvre

Soupe du jour 4.00

LES PLATS PRINCIPAUX **19.00**
Quenelles de brochet Val de Loire
Marlin grillé
Tilapia au vin rouge
Doré à l'huile de noix
Vivaneau à la passion
Raie au beurre noisette
Saumon à l'oseille
Cuisse de pintade confite
Onglet à l'émincé de poireau
Mignon de porc tourangelle

Assiette de fromages 8.00

Petites douceurs du jour 6.00

TABLE D'HÔTE **29.00**
Incluant un choix d'entrée, potage, plat principal, dessert et café

La Prunelle

Restaurant **Montréal** **spéc. françaises**
327, Duluth Est (Pl. Mt-Royal) (514) 849-8403
Ouvert tous les jours en soirée.

LES PLATS PRINCIPAUX

Servis avec potage, café, thé ou infusion.

Confit de canard au gingembre et citronnelle	18.00
Rognon de veau à l'armagnac, sauce moutarde	19.00
Tartare de bœuf et frites maison	20.00
Magret de canard aux cinq épices	21.00
Poêlée de ris de veau au caramel de porto	21.00
Carré d'agneau, sauce aux fines herbes	23.00
Caille farcie au foie gras et aux raisins de muscat	23.00

LES GRILLADES

Filet de porc aux gyromitres	20.00
Foie de veau aux poires et vinaigre de xérès	21.00
Pavé de thon sur chutney à la mangue	22.00
Filet mignon aux cinq poivres	24.00

Le P'tit Plateau

Restaurant **Montréal** **spéc. françaises**
330, Marie-Anne Est (514) 282-6342
Ouvert du mar au sam en soirée.

LES ENTRÉES

Salade d'avocat et de crevettes nordiques	8.00
Sauté de portabella en croûte	8.50
Ravioli d'escargots, sauce vierge	9.00

LES PLATS PRINCIPAUX

Confit de canard mulard et salade garnie	23.50
Blanc de volaille farci, poireaux à la crème	24.00
Cuisse de lapin fermier rôti aux morilles	25.00
Médaillon de cerf de Boileau grillé au beurre	26.00

LES DESSERTS

Crème brûlée	6.00
Tulipe de sorbets maison	6.50

Les Rites Berbères

Restaurant Montréal spéc .berb. et maghrébines
4697, rue De Bullion (angle Villeneuve) (514) 844-7863
Ouvert du mar au dim de 17h à 23h. Terrasse l'été.

MENU

Choix d'entrées

Assiette de merguez	4.95
Sardines grillées	4.95
Ichektchouka piquante	4.95
Bisque de homard	4.95

Choix de plats

Assiette maison (brik, salade, pois chiches)	13.50
Couscous au poulet	13.75
Couscous au merguez	14.50
Couscous à l'agneau	14.50
Poulet aux olives	14.95
Brochette Berbères servi avec riz, sauce piquante	14.95
Couscous avec agneau et poulet	17.25

Choix de desserts

Cœur d'amande	3.95
Sorbet à la tangerine	4.10
Dattes farcies aux amandes	4.75

Les Saveurs

Restaurant Montréal spéc. françaises
1602, Laurier est (Pl. Mt-Royal) (514) 527-4506
Ouvert tous les jours, de 7h à 16h.

TABLE D'HÔTE 19.99$

Potage ou Mista

Choix d'entrées
Chèvre chaud au cumin
Calmars à la provençale

Les Saveurs (suite)

Choix de plats
Agnoletti au homard
Millefeuille de ris de veau à l'estragon
Confit de canard
Lapin à la dijonnaise

Choix de desserts
Tartes
Crèmes brûlée

TABLE D'HÔTE DU CHEF 29.99$
Glacé de légumes ou laitue de potager ou salade ensoleillée ou bruschetta ou pâtes aux herbes

Choix d'entrées
Escargots au citron
Crevettes à la tapenade d'olive

Choix de plats principaux
Osso buco à la milanaise
Jarret d'agneau braisé
Bavette aux câpres citronnée
Cuisse de canard au coulis de fruit et lait de coco

Choix de desserts
Délices des saveurs
Orange à la cannelle et fleur d'oranger

Le Puy du Fou

Restaurant **Montréal** **spéc. françaises**
4354, Christophe-Colomb (Pl. Mt-Royal) (514) 596-2205
Ouvert en soirée du mardi au samedi.

LES ENTRÉES

Saumon fumé, fromage et pamplemousses	8.00
Soupe de poissons, croûtons et nouille	8.00
Feuilleté de petit gris à la Vendéenne	9.00

LES PLATS PRINCIPAUX

Papillote du pêcheur aux artichauts	20.00
Poule de Cornouaille braisée au houblon	21.00
Souris d'agneau confit et ail en chemise	23.00
Bavette de bison aux chanterelles	24.00
Poêlée de ris de veau au vermouth et estragon	25.00
Magret de canard étoilé, jus à l'anis	26.00
Assiette de fromages fins, fruits et pains aux noix	8.00

LES DESSERTS

Tarte au fromage ou crème brûlée aux griottes	5.00

Quartier Saint-Louis

Restaurant **Montréal** **spéc. françaises**
4723, rue Saint-Denis (Pl Mt-Royal) (514) 284-7723
Ouvert en soirée du mardi au samedi.

TABLE D'HÔTE

Choix d'entrées

Moules au beurre à l'ail, rillettes maison, antipasta du jour, soupe de saison, soupe de poisson ou salade

Choix de plats principaux

Saumon frais rôti au pistou de basilic	14.95
Osso buco d'agneau façon Quartier Saint-Louis	14.95
Rognons de veau façon provençale	15.95
Fricassé de lapin sauce crème et moutarde	16.95
Feuilleté de pétoncles et fondue de poireau	17.95
Filet de bœuf sauce crème au roquefort	18.95
Magret de canard sauce poivre vert et cognac	19.95
Ris de veau aux champignons sauvages	19.95

La Raclette

Restaurant **Montréal** **spéc. europ. et suisses**
1059, Gilford, Montréal (514) 524-8118
Ouvert tous les jours en soirée.

GRANDE TABLE D'HÔTE 27.00

Incluant entrée, potage ou jus de légumes, dessert, café, thé ou tisane

Les entrées

Raclette Valaisanne	5.95
Raclette au poivre	6.25
Salade de betteraves au vinaigre balsamique	6.25

Les plats principaux

Grande raclette, jambon et bœuf des Grisons	15.45
Émincé de veau à la zurichoise	16.95
Escalope de poulet, sauce aux cerises de terre	17.95
Escalope de saumon frais à la moutarde de Meaux	18.95
Côtelettes d'agneau, vinaigrette au basilic	20.95
Médaillon de veau, sauce aux pleurotes et thym	21.95
Fondue au fromage suisse (pour 2 pers.)	37.90

Les desserts

Clafoutis aux cerises noires	4.95
Mousse au chocolat	5.25
Poire Belle-Hélène	5.50
Parfait à la menthe ou à l'Amaretto	5.50

La Selva

Restaurant **Montréal** **spéc. péruviennes**
862, Marie-Anne (Pl. Mt-Royal) (514) 525-1798
Ouvert mar au sam de 17h30 à 23h.

LES ENTRÉES

Sopa del dia 2.00
(Soupe du jour)

Cazuela de gallina 4.00
(Bouillon de poulet maison parfumé aux fines herbes)

Sopa de pescado 4.00
(Soupe maison faite de poisson frais du jour)

Ocopa de camarones 4.00
(Crevettes et pomme de terre nappée de sauce)

Ensalada de tomates con palmitos 4.00
(Salade de tomates et coeurs de palmier)

Palta rellena de camarones 4.00
(Avocat farci avec salade maison aux crevettes)

Cebiche 5.00
(Filets de poisson marinés, garnis d'oignons et poivrons)

Chupe de camarones 5.00
(Velouté de crevettes, tomate, crème et pomme de terre)

La Selva (suite)

LES PLATS PRINCIPAUX

Anticuchos de corazon de vaca 10.00
(Cœurs de bœuf marinés, sauce épicée)
Churrasco a la parrilla 10.00
(Steak grillé, sauce aux légumes et à l'origan)
Pollo en salsa de mani 10.00
(Poulet cuit sur gril, sauce aux arachides)
Pescado a la parrilla 10.00
(Poisson du jour à la mode de La Selva)
Anticuchos de camarones 12.00
(Brochette de crevettes, sauce maison, cuite sur gril)

LES DESSERTS 2.00

LA TABLE D'HÔTE 12.50

Incluant soupe du jour, plat du jour et café, thé ou tisane

Vents du Sud

Restaurant **Montréal** **spéc. franç. et basques**
323, Roy Est (Pl. Mt-Royal) (514) 281-9913
Ouvert du mardi au dimanche en soirée.

MENU

Incluant soupe ou petits oignons balsamiques ou terrine de canard, dessert, café, thé ou tisane

Rotolos aux escargots	19.95
Poulet basquaise	20.95
Axoa de veau d'espelette	21.95
Jarret d'agneau aux olives	22.95
Garbure de montagnard	22.95
Bavette de bœuf, sauce poivrade	22.95
Rognon de veau bayonnaise	23.95
Merlu "Koskera"	24.95
Filet de truite sur coulis de poivrons	25.95
Longe d'agneau aux chanterelles	27.95
Magret de canard aux cèpes	28.95

PETITE CARTE D'ÉTÉ (exemples de saison)

Les hors d'œuvres

Poivrons grillés	5.75
Saumon fumé	8.75

Vents du Sud (suite)

Les salades

Chèvre tiède sur croûtons	12.50
Paillard de volaille, vinaigrette aux fruits	16.50
Fruits de mer «côte Basque»	17.50
Poissons fumés	17.75

Les plats de la mer

Casuella de moules «Cibourienne»	14.75
Calamars frits	16.75
Pil-pil de crevettes	22.75

Les desserts

Gâteau basque	6.25
Tarte bourdalous	6.25
Crème brûlée	6.25

Yoyo

Restaurant **Montréal** **spéc. françaises**

4720, Marquette (Pl. Mt-Royal) (514) 524-4187

Ouvert tous les jours en soirée.

Yoyo (suite)

LES ENTRÉES

Raviolis épinards et ricotta crème de tomates	6.95
Cervelle de veau crème de citron et câpres	7.50
Feuilleté d'escargots au fromage bleu	7.50
Bisque de homard de notre chef	7.95

LES PLATS PRINCIPAUX

Mignons de porc à la fleur de meaux	17.95
Saumon au goût du jour	18.95
Tartare de filet de bœuf et frites	19.95
Ris de veau au caramel de porto	22.95
Feuilleté de fruits de mer, sauce au homard	23.95
Médaillons de veau champignons mixtes	23.95
Canard deux façons aux rubis de framboises	23.95
Filet de bœuf bordelaise et crème raifort	25.95
Carré d'agneau au romarin frais	26.95

LES DESSERTS

Profiteroles maison	5.95
Truffé au chocolat	5.95
Gâteau beauceron, crème d'érable	6.50

Le poète Félix Leclerc au Parc Lafontaine.

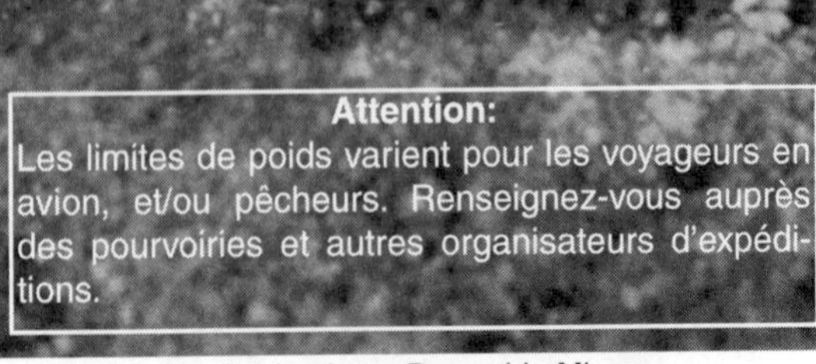

Courtoisie photo: Pourvoirie Mirage.

Nord-du-Québec Baie James

Gîte:

- Gîte de l'Épilobe

Pourvoiries :

- Camp Cooper/ Safari Nordik
- Pourvoirie Mirage
- Pourvoirie Radisson L.G.2

Lieux fréquentés par les marcheurs et où vous pouvez pique-niquer:

- Chibougamau (région Nord-du-Québec)
  - *Premier sentier du lac Gilman* sur 3 km
  - *Deuxième sentier* du quai municipal jusqu'au mont Chalco, 4.7 km
- Lebel-sur-Quévillon (entre Rouyn-Noranda et Chibougamau)
  - Une plage immense de sable fin
- Radisson (région Baie James nord)
  - Plusieurs belvédères dans et autour de la localité

****

Restaurant traiteur :

- Le Troquet

Traiteurs :

- Les Entreprises du Lagopède
- Les Banquets Tremblay

Les Banquets Tremblay

Traiteur **Nord du Québec**
192, ch Mervill, Chibougamau (418)748-3705

Tourtière du Lac St-Jean
Petit pâté à la viande
ou sandwichs mélangés
Salade de choux
Pâtisseries, café ou thé
7.50$ + taxe

Tournedos au poulet
Soupe aux légumes
Riz ou pomme de terre
en purée
Salade de choux
Dessert, café ou thé
13.95$ + taxe

Buffet froid
Petit pâté à la viande
Salade de pommes de terre, salade de choux
Salade de macaroni
Sandwichs au jambon
Sandwichs aux œufs
Desserts, café ou thé
8.50$/pers + taxe

Longe de porc farcie aux fines herbes
Pommes de terre en purée
Carottes au beurre
Sauce brune
Dessert, café ou thé
13.95$ + taxe

Fondue chinoise
Salade du chef
Viande (3/4 lb./pers)
Bouillon spécial du chef
Trois sauces différentes
Trempette de légumes
Pomme de terre au four
Petit pain, pâtisserie
14.95$ + taxe

Petit buffet froid
Trempette et sauce
Hors-d'œuvre
Charcuterie, fromages
Petit pâté à la viande
Salade de choux
Salade de macaroni
Sandwichs au jambon
Sandwichs au bœuf
Desserts, café ou thé
7.25$/pers + taxe

Camp Cooper/ Safari Nordik

Pourvoirie **Baie James**
Infos: 639, boul. Labelle, Blainville
(450) 971-1800 Sans frais: 1-800-361-3748
Ne pas oublier l'avertissement donné en introduction de la section Nord-du-Québec·Baie James.

Pour parvernir au Camp Cooper, il faut passer par St-Félicien (Lac-St-Jean) et de là, la route Chibougamau, puis une route forestière sur 100 km jusqu'au camp.

Logement soit au pavillon principal, soit l'une des cinq maisons type «cottage» tout équipée, avec cuisine bien entendu. Plan «américain» et plan «européen».

Pêche au «grand brochet du Nord», le doré géant, truites grises et mouchetées dans les lacs environnants. Chasse à l'ours noir.

Les Entreprises du Lagopède

Traiteur **Nord du Québec Baie James**
21, rue Iberville, Radisson (819) 638-5978
Ouvert tous les jours de 8h-17h.

Les commandes de buffets sont pour un minimum de dix personnes, mais des portions individuelles sont aussi disponibles. Possibilité de commander des lunchs personnalisés pour des groupes d'écoliers, de chasseurs, de pêcheurs ou de voyageurs. On peut également se procurer de l'omble de l'arctique, du caribou et du doré au kilo.

Les Entreprises du Lagopède (suite)

Buffet #1 50$/pers
Deux choix de salade
Trois choix de sandwiches
Crudités et trempette
Choix de dessert, café

Buffet #2 0.50$/pers
Deux choix de salades
Trois choix de sandwiches
Pains au poulet ou œufs
Crudités et trempette
Choix de dessert, café

Buffet #3 11.50$/pers
Deux choix de salades
Trois choix de sandwiches
Fromages et raisins
Crudités et trempette
Choix de dessert, café

Buffet #4 12.50$/pers
Deux choix de salades
Trois choix de sandwiches
Pains au poulet ou œufs
Oeufs farcis
Fromages et raisins
Crudités et trempette
Choix de dessert, café

Extras disponibles sur demande (pour 10 pers.)

Panier de fruits	10.00
Mini-quiches aux crevettes ou jambon	11.50
Morceaux de pizza	12.00
Mini-pâtés à la viande	12.50
Bûche de Noël	17.50
Assiette de viandes froides	18.00
Pains pita roulés au thon	19.00
Pains pita roulés au poulet	19.00
Bouchées de dessert	20.00
Plateau de saucisses	22.50
Ailes de poulet	32.00

Gîte de l'Épilobe 🍷

Gîte **Baie-James**
127, Des Groseillers, Radisson (819)638-3496
Ouvert à l'année, sur réservation.

Repas du soir sur demande, si disponible selon les saisons et les circonstances. Pour les logeurs seulement (cuisine régionale). 20.00-25.00

Courtoisie photo: MBJ.

Pourvoirie Mirage 🍷

Pourvoirie **Nord-du-Québec·Baie James**
Infos: 99, 5e avenue Est, La Sarre (819) 339-3150
L'adresse donnée n'est pas liée au lieu où est proposée l'activité.

Sites de la pourvoirie:
Près de la *rivière La Grande et le Réservoir L.G.4* (au 54e parallèle); 8 chalets bien éqquipés. On accède au site par la Transtaïga. Pour les amateurs de pêche au brochet, via une expédition sur La Grande, et pour les pêcheurs de touladi sur les lacs environnants.

Aussi: *Lac et rivière à l'Eau Claire* dans la région de la Baie d'Hudson, au 56e parallèle, on y accède par hydravion seulement.

Lac Rossignol, région de la Baie-James, 53e parallèle, accessible par hydravion.

Lac Pluto, région des Monts Otish, 52e parallèle, accessible par hydravion.

Pourvoirie Radisson L.G.2.

Pourvoirie **Baie James**
65, ave Des Groseillers,Radisson
(819) 638-5400 Sans frais: 1- 877- 638-5400
L'adresse donnée n'est pas nécessairement liée au lieu où est proposée l'activité. Site ouvert à l'année.

Située sur un des plus grands lacs du Québec, entourée d'épinettes noires, la pourvoirie est aussi un merveilleux site pour les aurores boréales. Des chalets rustiques accueillent des groupes de 4 à 8 personnes; le confort, la chaleur, le calme et la détente composent ce lieu enchanteur. Vous pouvez y apporter votre vin.

Des bâteaux et canots de 24' et 25' sont disponibles au quai afin d'explorer la secrète et majesté des anses et des baies.

La chasse et la pêche au pays des caribous et la pêche au royaume du doré jaune et du grand brochet du Nord vous attendent.

Meilleure saison de pêche: début janvier à mi-février.

Meilleure saison de chasse au caribou: début janvier à mi-février.

Le Troquet

Restaurant , traiteur **Nord-du-Québec**
435, 3ième rue, Chibougamau (418)748-7318
Il est préférable d'appeler avant de se rendre.

Au Troquet, on ne peut apporter son vin, mais tout comme un traiteur, vous pouvez commander et emporter les plats. Il n'est pas nécessaire d'être en groupe.

Courtoisie photo: MBJ.

Courtoisie photo: Philippe Sable,
Aventure PHS.

NUNAVIK

Pêche - aventure:

- Aventure PHS

Pourvoiries:

- Nunavik
- Safarie Nordik

Attention:
Les limites de poids varient pour les voyageurs en avion et/ou pêcheurs. Renseignez-vous auprès des pourvoiries et autres organisateurs d'expéditions.

Aventure PHS

Pêche - aventure **Nunavik**

Rivière aux feuilles et Rivière aux Mélèzes

À partir de Kuujjuaq, Nunavik, 4 à 8 personnes.

41, ch. Château Salins, Lorraine (450) 965-7422

Voyages - expéditions de 10 jours, dont 8 jours sur la rivière. Départs habituels: juin, juillet-août; en fonction de la température: septembre.

Courtoisie photo: Philippe Sable, Aventure PHS.

Le forfait inclue entre autres la nourriture et les breuvages, mais ne comprend pas les boissons alcoolisées; vous pouvez apporter du vin.

Courtoisie photo: Philippe Sable, Aventure PHS.

Aventure PHS (suite)

La *Rivière aux feuilles* est ponctuée de rapides de niveaux variés, de longues berges de sable fin et d'îles de sable ou de roc. Une faune très variée et quatre espèces de poissons: le saumon, l'omble artique, le touladi et l'omble de fontaine.

Courtoisie photo: Philippe Sable, Aventure PHS.

La *Rivière aux Mélèzes* présente de nombreuses falaises; cette rivière est plus vive que la précédente avec un boisement et un relief plus important. Là aussi la faune est très variée et on y trouve quatre espèces de poissons: la ouananiche, le grand brochet de nord, le touladi et l'omble de fontaine.

Courtoisie photo: Philippe Sable, Aventure PHS.

Safari Nordik

Pourvoirie **Nunavik**

Infos: 639, boul. Labelle, Blainville, (450) 971-1800

Ne pas oublier l'avertissement donné en introduction de la section Nunavik.

Sites pour la pêche dans la nature sauvage:

Auberge du Lac Bérard- Lac Finger; pêche à l'omble de l'Arctique.

Pavillon Inukshiek à l'embouchure de la rivière Markol sur la baie d'Ungava; pêche à la truite mouchetée géante.

Auberge de l'Estuaire sur la Rivière aux feuilles; pêche à l'omble de l'Arctique dans un paysage spectaculaire.

Aussi **Camp Cooper** (voir dans Nord-du-Québec-Baie James)

Nunami

Pourvoirie **Nunavik**
640, Dorchester, suite 100, Saint-Jean-sur-Richelieu
Pour information: (450) 349-0648
Ne pas oublier l'avertissement donné en introduction de la section Nunavik.

«Nunami» signifie «à l"intérieur des terres» en inuktituk. Le pavillon Nunami est situé au nord du 55e parallèle, dans une zone peu connue des touristes. Plus précisément, Nunami se trouve sur les berges du Lac Mollet, à 210 km à la l'est de Kuujjuarapik, dans la taïga.

Pêche à la truite mouchetée, la truite de lac et le brochet.

Courtoisie photo: Philippe Sable.

Outaouais

Restaurant :

- Meule et Caquelon
- Prasat Thaï

Tables :

- La Ferme Cavalier
- La Ferme du Terroir

Gîte / Auberge :

- Aux 2 Lucarnes
- Auberge Esprit

Chalet / résidence de tourisme :

- La Pointe à David

Pourvoirie:

- Domaine Lac Castor Blanc
- Chalet Jean-Paul
- La Villa Basque

Érablière:

- La Ferme du Terroir

****

Fromagerie :

- La Biquetterie
- Ferme Floralpe

Boulangerie :

- Le Pain d'Alain

Traiteur :

- Ferme Les Méandres

Aux 2 Lucarnes

Gîte **Outaouais** **spéc. françaises**
29, route 309, Notre-Dame-de-la-Salette (819)766-2772
Dîners et soupers sur demande et sur réservation.
Pour les logeurs seulement.

MENU « La vallée de la lièvre » 15.00-20.00

Salade folle ou romaine et vinaigrette dijonnaise
Filet mignon de porc à la sauge et vin blanc ou
brochette de bœuf
Salade de fruits maison
ou
Crème de poires et asperges
Steak chateaubriand aux petits légumes
Dessert maison

Auberge Esprit

Auberge de jeunesse Outaouais
3, chemin Esprit, Davidson (819) 683-3241
Sur réservation pour les groupes et préférable pour les individus

---

L'auberge (ouverte à tous les voyageurs de 1 an à 99!) dispose d'un accès cuisine permettant la préparation personnelle de leur repas; les voyageurs ont le loisir d'apporter leur vin, mais ne peuvent l'acheter au bar situé dans une autre section de l'auberge.

La Biquetterie

Fromagerie **Outaouais**
470, route 315, Chénéville (819) 428-3061
Ouvert tous les jours de 9h-17h.

Fromages: *Le Petit Vinoy*, fromage de chèvre frais offert en 5 saveurs (nature, poivre, fines herbes, ail et fines herbes, ciboulette); *Le Saint-Félix*, fromage de chèvre à croûte fleurie de type camembert; *Le chèvre de la Petite-Nation*, cheddar de chèvre au lait cru; *Le Montebello,* camembert au lait de vache; *Le Montpellier*, fromage frais de lait de vache offert en 4 saveurs (nature, poivre, fines herbes et ail, fines herbes; Le Louis-Joseph, cheddar de vache au lait cru; *Le Chénéville*, cheddar frais de lait de vache.

Chalet Jean-Paul

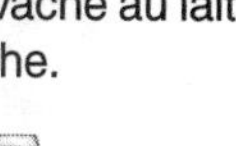

Pourvoirie **Outaouais**
Lac Henry, R.R. #1, Gracefield (819) 463-2531
Sans frais: 1-866-463-2531 Ouvert à l'année.

La pourvoirie se trouve sur le Lac Henry au coeur de la superbe vallée de la Gatineau. Les chalets disposent de toutes les commodités incluant un salon et une cuisine où vous pouvez, bien sûr, apporter votre vin.
Pêche: touladi, ouananiche, truite arc-en-ciel, truite brune, achigan à grande bouche, brochet, doré, perchaude, corégone.

Ferme Floralpe

Fromagerie **Outaouais**
1700, route 148, Papineauville (819) 427-5700
Ouvert tous les jours de 8h à 19h.

Fromages de chèvre: *Peter*, type munster affiné; *Sheidi*, type camembert affiné; *Micha*, type pâte fraîche; *Montagnard*, type cheddar; *Feta Floralpe*, type feta; *Brebiouais*, type cheddar à croûte lavée; *Buchevrette*, fromage frais avec croûte de type camembert.

Domaine Lac Castor Blanc

Pourvoirie **Outaouais**
1365, Ste-Famille d'Aumond, Maniwaki (819) 449-3098
Ouvert de mai à novembre.

Chalets tout équipés (sauf durant la saison de chasse où la literie n'est pas incluse). Vous pouvez, bien sûr, apporter votre vin.

Pêche: brochet du nord, truite grise, barbotte, perchaude, truite de ruisseau, truite arc-en-ciel.
Chasse: petit gibier (gélinotte, lièvre).
Gros gibier: ours, chevreuil.
Aussi: chaloupes, pédalos, sentiers pour VTT, sentiers pédestres, etc.

La Ferme Cavalier

Table **Outaouais** **spéc. méchoui et rég.**
39, montée St-André, St-Sixte (819) 985-2490
Ouvert tous les jours sur réservation pour 10 à 35 pers.

MENUS (exemple)

LA TABLE D'HÔTE MAROCAINE 36.00
Harira (soupe traditionnelle du ramadan)
Bstila (feuilleté farci à la pintade et aux amandes)
Sept salades typiques
Tajine d'agneau mariné aux olives et citron confit
Bstila à la crème et aux amandes
Pain «kesra» maison
Thé à la menthe

LA TABLE D'HÔTE RÉGIONALE 36.00-38.00
Petite charlotte au poivron doux sur son coulis de tomates
Pain maison (miche et pain aux noix)
Quenelle mousselin de truite, crème de persil
Baron d'agneau de lait au safran
Effeuillé de choux aux petits légumes du terroir
Bouquet du jardin
Plateau de fromage de la Petite Nation
Mille-feuille à la mousse d'érable et au noix
Café ou thé

MÉCHOUI «LA BONNE FRANQUETTE» 25.00
Salade maison
Agneau à la broche
Gratin dauphinois
Crème caramel ou gâteau au fromage ou moka
Pain et beurre
Café ou thé

→

La Ferme Cavalier (suite)

MÉCHOUI «LE GOURMAND» 28.00

Salade verte et deux salades au choix
Pain et beurre
Agneau à la broche

Choix d'accompagnements

Gratin dauphinois
Couscous aux raisins et aux amandes
Couscous aux légumes

Choix de trois pâtisseries maison
Café et thé

MÉCHOUI «LA DÉGUSTATION» 32.00

Terrine de foie d'agneau au madère ou
petits fromages de chèvre de notre région
Briouats (feuilletés à l'agneau, coulis aux tomates) ou
salade verte et deux salades au choix
Pain et beurre
Agneau à la broche

Choix d'accompagnements

Gratin dauphinois
Couscous aux raisins et aux amandes
Couscous aux légumes

Choix de trois pâtisseries maison
Café et thé

Ferme Les Méandres

Traiteur/ dégustation de vins et fromages **Outaouais**

165, ch. St-Andrews,Cantley (819) 827-4122

Accueil de soutien pour le français en immersion si désiré.

Services de traiteur: sur demande et sur réservation.
Dégustation de vins et fromages 35.00 et plus

La Ferme du Terroir

Table et érablière Outaouais spéc. françaises

784, ch. Foraty, Val-des-Monts (819) 671-3330

Table gourmande et menu en fête sur réservation.
(pour minimum 15 pers. et maximum 25 pers.)
Menu du terroir sur réservation (pour de 20-30 pers.)

MENU «TABLE GOURMANDE» 32.00

Cocktail de l'ancêtre
Terrine de campagne
Verdure champêtre
Velouté de rutabaga
Trou normand «érablière givrée»

Choix de plats principaux
Mignon de volaille aux pommes et à l'érable
Suprême de poulet aux fines herbes
Filet de porc aux pommes et fenouil
Lapin à la crème d'estragon

Choix de desserts
Gâteau au fromage et pommes du terroir
Gâteau mousse au chocolat
Tarte à la crème d'érable
Café, thé ou tisane

Meule et Caquelon^{MC}

Rest. suisse Out. spéc. fondues, raclet., grillades
25, de la Savanne, Gatineau (819) 762-6962

Pour le menu voir **Meule et Caquelon** dans la section Abitibi-Témiscamingue. Ce restaurant sera ouvert à Gatineau à partir du début avril 2002; à ce moment-là vous demandez le 411 pour le nouveau numéro de téléphone afin de réserver ou jusqu'au début de l'été 2002 le (819) 762-6962.

Le Pain d'Alain

Boulangerie **Outaouais**
53, boul. St-Joseph, Hull (819) 595-6917
Ouvert mar, mer, vend 9h-18h/ jeu 9h-19h/ sam 9h-17h.

Pains de blé entier, pains aux grains à la farine non-blanchie, miches, cigares, baguettes et pains à la purée de dattes.

La Pointe à David

Chalets, résidences de tourisme **Outaouais**
1777, ch. Baskatong, Grand-Remous (819)438-2844
Chalets ouverts du 15 mai à l'Action de Grâce (début oct.)

La Pointe à David est une presqu'île au coeur du Lac Baskatong au Centre-Nord de l'Outaouais accessible par la 117 à partir de Mont-Laurier ou par la 105 à partir de Hull. Ce site touristique offre (entre autres) des chalets équipés d'une cuisinette; une boulangerie et un dépanneur sont à votre disposition, et vous pouvez bien sûr apporter votre vin au chalet.

Autres services:
Marina avec service de quai et essence
Location de bateaux et de moteurs
Site de camping pour motorisés, roulottes et tentes.
Boutique d'articles de pêche, etc.

Prasat Thaï

Restaurant **Outaouais** **spéc. camb. thaï. viet.**
460, boul. Gréber, Gatineau (819) 568-6405
Ouvert du mar-ven le midi et en soirée/sam-dim de17h-21h.

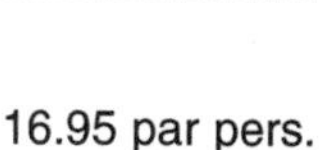

LES COMBOS

Soupe au choix 16.95 par pers.
Rouleaux impériaux
Brochettes de poulet, bœuf, crevettes
Riz blanc
Dessert, café ou thé au jasmin

Soupe au choix 21.95 par pers.
Rouleaux impériaux
Papillotes d'Asie
Salade au choix
Choix de plat : banh hoi ou fondue étoiles
Dessert, café ou thé au jasmin

Soupe au choix 29.95 pour deux pers.
Brochette de bœuf
Ailes de poulet
Mini-rouleaux
Boulettes de porc
Crevettes
Légumes asiatiques
Riz blanc
Café ou thé au jasmin

La Villa Basque

Pourvoirie **Outaouais**
12, ch. Villa Basque, Lytton (819) 438-5445
Situé à 15 km de Grand-Remous
Sans frais: 1-877-438-5445
Ouvert de mai à septembre.

Chalets -en bordure du réservoir Baskatong- équipés d'une cuisinette; on peut s'approvisionner à Grand-Remous, à Mont-Laurier (à 50 km) ou Maniwaki, et bien sûr apporter son vin.
Activités majeures: pêches et sentiers (quads et motoneige) à proximité.

Région de Québec

Restaurants :

- Ayutthaya
- Champa
- Café Metaxa
- Dana
- La Girolle
- Hoai Huong
- Jardin du Vietnam
- Ly-Hai
- La Paillote
- Sadec
- Thang Long Won Ton
- Tokyo

Table:

- La Ferme L'Émeulienne

Érablière :

- La Sucrerie Blouin

****

Vignobles :

- Vignoble de Sainte-Pétronille
- Vignoble Île de Bacchus

Fromagerie :

- Fromages Chaput

Cidrerie :

- Domaine Steinbach

Boulangerie :

- La Porteuse de Pain

Hydromellerie :

- Le Musée de l'Abeille

Vins de cassis :

- Ferme Monna

Ayutthaya

Restaur. Rég. de Québec spéc. thaïl., camb. et viet.

469, boul. Rochette, Beauport (418) 663-1919

Ouvert tous les jours en soirée et le midi en semaine.

LES ENTRÉES

Wonton frit	3.50
Salade Cambodgienne	3.75
Salade Thaïlandaise	4.25
Yam Woom Sen	5.25
Assiette impérial vietnamienne	7.95

LES SPÉCIALITÉS DU CHEF

Canard B.B.Q au curry	11.95
Nouilles frites au bœuf ou au poulet	11.95
Cuisses de grenouille au gingembre	12.95
Assiette de fruits de mer Phnom Penh	12.95
Pad Khapao Koog Kai	12.95
Fruits de mer Pad Khapao	12.95
Cuisses de grenouille au gingembre	12.95

LES PLATS DE CREVETTES

Crevettes Bangkok	12.95
Crevettes thaïlandaises	12.95
Demoiselles De Mékong	12.95

LES PLATS DE BŒUF OU PORC

Bœuf au brocoli	8.75
Bœuf aux champignons	8.75
Porc Siam	8.75
Porc Khmer au gingembre	8.75

LES PLATS DE POULET

Poulet au cinq parfums	8.75
Poulet au Satay	8.75
Poulet Kirirom	8.75
Brochettes orientales (2)	9.75

LES DESSERTS

Beignets aux ananas, pommes ou bananes	1.75
Buiscuit aux amandes	1.75
Pouding Ayutthaya	2.25

Champa

Restaur. Rég. de Québec spéc. camb., thaï. et vietn.
1414, rue Maguire, Sillery (418) 688-1333
Ouvert le midi et en soirée tous les jours sauf les lundis.

LA TABLE D'HÔTE

Servie avec soupe, rouleaux, dessert et café ou thé

Spécial du chef au choix avec riz	17.95
Crevettes Cambodge, brochette de poulet avec riz	17.95
Assiette de crabes et crevettes avec riz	21.95

Les entrées

Salade, crevettes et menthe dans une galette de riz	3.50
Salade avec poulet et sauce impériale	4.95

Les spécialités du Chef

Cuisses de grenouilles à la vietnamienne	11.95
Cailles grillées	11.95
Nouilles frites avec bœuf ou poulet	11.95
Assiette de fruits de mer	12.95
Fondue au bœuf, poulet et crevettes(pour 2 pers.)	27.95

Les desserts

Tapioca	1.75
Beignets aux ananas, bananes ou pommes	1.75

Café Metaxa

Rest. Rég. de Qc spéc. fruits de mer et grillades.

3604, chemin Royal, Beauport	(418) 663-9595
419, rue Soumande, Vanier	(418) 683-9599
3196, chemin Ste-Foy, Ste-Foy	(418) 657-3336

Ouvert tous jours le midi et en soirée.

LES ENTRÉES

Feuilles de vignes farcies Dolmades	3.55
Crevettes à la grecque	4.95
Coquille de fruits de mer	5.95
Saumon fumé *(produit maison)*	6.95
Pikilia *(pour 2 pers.)*	9.75

LES SALADES

Salade grecque	8.95
Salade césar au poulet grillé	8.95
Salade césar au saumon fumé	9.95
Salade de crevettes	10.95

→

Café Metaxa (suite)

LES POISSONS ET FRUITS DE MER

Steak de saumon d'Atlantique grillé	12.95
Assiette de calmars frits	12.95
Crevettes à la grecque	14.95
Brochette de fruits de mer	15.95
Langoustines danoises	19.95
Assiette «Délices de la mer»	22.95

LES SPÉCIALITÉS DE LA MAISON

Pour 2 personnes

Assiette Neptune	33.95
Assiette Pêcheur	37.95
Assiette «pêcheur de luxe»	59.95

LES GRILLADES

Suprême de poulet à l'origan	10.95
Tournedos de filet de porc (3)	12.95
Brochette de filet mignon	12.95
Shish-kebab à l'orientale	14.95
Entrecôte grillée 12oz AAA	14.95

LES COMBINÉS DE HOMARD

***Ajustement des prix selon la saison**

Homard et brochette de poulet	15.95
Homard et crevettes	18.95
Homard, filet mignon et crevettes	20.95
Homard, filet mignon, crevettes, langoustines	23.95

LES PÂTES

Lasagne gratinée	8.95
Pizza végétarienne	9.95
Pizza fruits de mer	10.95
Pizza trois fromages	10.95

Dana

Restaurant Région de Québec spéc. vietnamiennes
269, rue St-Jean, Québec (418) 523-0260
Ouvert tous les jours en soirée et le midi la semaine

TABLE D'HÔTE DU MIDI 6.95
Incluant soupe, rouleaux impériaux, dessert, café ou thé
Choix de plats principaux
Poulet au curry
Poulet thaï épicé
Nouilles croustillantes
Légumes au porc

TABLE D'HÔTE EN SOIRÉE
Incluant soupe, rouleaux impériaux, dessert, café ou thé
Choix de plats principaux

Poulet au gingembre	13.95
Brochettes de porc	13.95
Poulet «hoisin»	13.95
Crevettes au gingembre	14.95
Nouilles croustillantes au porc	14.95
Nouilles croustillantes aux crevettes	14.95
Légumes aux pétoncles	14.95
Brochettes de fruits de mer	15.95

Domaine Steinbach

Cidrerie et vinaigrerie Région de Québec
2205, ch. Royal, St-Pierre de l'Ile d'Orléans (418) 828-0000

Ouvert tous les jours, de mai à oct, de 10h-16h30.
Cidre léger l'*Odyssée*, cidre fort l'*Aphrodite*, cidre fort le *Dionysos* et cidre de glace le *Cristal de Glace*.

Vinaigres de cidre de pommes biologiques et vinaigre de cassis. Vinaigres de cidres aromatisés à la framboise, à l'estragon, au basilic pourpre, à la fleur de l'ail, au thym et ail ainsi qu'au romarin.

La Ferme L'Émeulienne

Table **Région de Québec**
307, Petit-Capsa, Neuville (418)876-2788
Ouvert à l'année sur réservation pour 6 pers. et plus.

LA TABLE D'HÔTE 25.00
Salade de crevettes pour tortillas
Potage légumier

Choix de plats principaux
Tournedos d'émeu
Fondue chinoise à l'émeu
Brochette d'émeu

Pomme de terre au four
Brocoli aux graines de sésame
Sauce aux poivres

Salade verte

Gâteau renversé au sirop d'érable et aux pommes ou sélection du pâtissier
Café, thé ou tisane

Vue de la ville de Québec.

Ferme Monna

Vins de cassis **Région de Québec**
723, ch. Royal, St-Pierre, île d'Orléans (418) 828-1057
Il est préférable d'appeler avant de se présenter.

Trois vins de cassis : un vin apéritif *L'Île Ensorceleuse*, un vin apéritif madérisé et un vin apéritif madérisé non-filtré (pour accompagner les fromages forts).

Fromages Chaput

Fromagerie **Région de Québec**
110, St-Vallier Ouest, Québec (418) 525-9376
1218, Bernard, Outremont (514) 279-9376
Ouvert tous les jours.

Produits : fromage au lait de chèvre *Chabichou Chaput, Cabri, Cabri Sandré, Pyramide Chaput, Bouleau Chaput, Briquette Chaput;* fromage au lait de vache à pâte molle et croûte fleurie *Montérégie, Sallaberry*; fromage au lait de chèvre et au lait de vache à pâte molle et croûte fleurie *Amourette*; fromage au lait de vache à pâte molle et croûte lavée *Vacherin Chaput.*

La Girolle

Restaurant **Région de Québec** **spéc. françaises**
1384, chemin Ste-Foy, Québec (418) 527-4141
Ouvert du mar au ven le midi et du mar au dim en soirée.

MENU

Crème de navet au miel
Salade de saison

Choix d'entrées

Terrine de gibier et confiture d'oignons	5.95
Feuilleté d'escargots au bleu	6.95
Ravioli de caribou, jus aux girolles	7.25
Assiette de saumon fumé	7.50
Bloc de foie gras et gelée de sauternes	14.25

Choix de plats principaux

Suprême de volaille, salsa de mangue et cerises	18.50
Blanquette de lapin à la dijonnaise	18.50
Filet de saumon aux endives et à la bière	18.75
Mignon de porc, pommes et calvados	19.50
Entrecôte, sauce au vin rouge et à la moëlle	21.50
Ris de veau, sauce grand-mère	22.50
Médaillons de veau aux nouilles fraîches	22.75

La Girolle (suite)

Pétoncles, coulis aux tomates et coriandre	22.95
Filets d'agneau et purée d'aubergines	22.95
Magrets de canard aux oranges et gremolata	23.75

Choix de desserts 5.00

Tarte tatin
Crème brûlée
Marquise au chocolat
Gâteau aux poires et chocolat
Gâteau au fromage et crème sure
Tarte aux fruits sauvages

Hoai Huong

Restaurant Rég. de Québec spéc. vietnamiennes
98, St-Vallier Ouest, Québec (418) 525-7318
Ouvert du lun-ven le midi et du lun-dim en soirée.

MENU DU JOUR 6.95

Incluant soupe, rouleaux impériaux, dessert, café ou thé
Servis avec un choix de riz, nouilles ou vermicelles

Poulet curry aux légumes
Poulet aux piments verts
Porc aux ananas
Porc sauce Hoi Sin et salade
Bœuf sauté à l'oignon et tomates
Bœuf aux champignons
Crevettes sauce aigre-douce
Crevettes curry aux piments verts

MENU DU SOIR 12.95

Incluant soupe, rouleaux impériaux, dessert, café ou thé.
Servis avec un choix de riz, nouilles ou vermicelles.

Poulet et porc Hoi Sin
Porc et bœuf au piment fort
Poulet sauce thaïlandaise
Bœuf sauce vietnamienne

Jardin du Vietnam

Restaurant **Région de Québec** **spéc. vietn.**

260, rue St-Vallier Ouest (418) 647-4050

Ouvert le midi et en soirée tous les jours.

LA TABLE D'HÔTE

Incluant soupe du jour et rouleaux impériaux

Poulet au gingembre ou cari	14.95
Brochette de poulet grillée	14.95
Bœuf ou porc sauté à la citronnelle	15.95
Agneau ou cailles grillées	16.95
Filet de truite, sauce aigre-douce	16.95
Brochette de crevettes	16.95
Nouilles frites aux crevettes et pétoncles	16.95
Vermicelles de riz aux crevettes et pétoncles	16.95
Crevettes, pétoncles et crevettes épicées	20.95
Trois queues de homard à l'ail	21.95

REPAS COMBINÉ / SPÉCIAL DU CHEF 18.95

Soupe du jour
Rouleaux impériaux, feuilletés aux crevettes et sauce
Brochette de crevettes, bœuf ou porc avec légumes
Dessert et café ou thé

LES DESSERTS

Beignets aux pommes, bananes ou ananas	2.50
Flan au caramel	2.50

Ly-Hai

Restaurant Rég. de Québec spéc. viet., thaïl. et jap.
815 rue Cartier, Québec (418) 522-2031
Ouvert lun au ven le midi et lun au dim en soirée.

TABLE D'HÔTE

Incluant soupe du jour, rouleaux impériaux, dessert, thé ou café.

Poulet et crevettes sautés, sauce Terriaky	8.50
Brochettes de poulet grillées	13.50
Poulet sauté à la citronnelle	13.50
Cailles grillées	13.50
Nouilles sautées aux crevettes et pétoncles	15.50
Brochette de fruits de mer	15.50
Cuisses de grenouilles sautées	15.50
Fruits de mer sautés au curry	15.50

REPAS SPÉCIAL AUX FRUITS DE MER 18.50

Soupe du jour

Deux rouleaux impériaux

Plat combiné :
Brochettes de fruits de mer, cuisses de grenouilles panées, nouilles sautées, crevettes et pétoncles

Dessert et café ou thé

Le Musée de l'Abeille

Hydromellerie **Région de Québec**
8862, boul. Ste-Anne, Château-Richer (418) 824-4411
Ouvert du 1er nov- 23 juin de 9h-17h/du 24 juin-31 oct de 9h-18h.

Hydromel *L'Oie des Neiges*, hydromel chicouté et macéré *Dégel d'Amours*, hydromel *Le Printanier*, hydromel demi-sec *Le Beaupré*, hydromel doux *Le Cap des Tourmentes*, hydromel doux et vieilli en fût *La Dame Blanche*, hydromel mousseux *Le Sault à la Puce*.

La Porteuse de pain

Boulangerie **Région de Québec**
1070, rue Cartier, Québec (418) 523-7066
Ouvert du lun-dim de 7h30-16h30/17h.

Pain au levain, pain gruyère, pains aux noix, aux olives, aux lardons, au fromage de chèvre (fromage Payot), fougasse aux tomates séchées et au basilic, fougasse au Roquefort, couronne, miche au pavot, pain *bûcheron* (pain au levain à la farine de seigle), pain intégral (de type «Montignac»).

La Paillote

Restaurant **Rég. de Québec** **spéc. vietnamiennes**
821, Scott, Québec (418) 522-2662
Ouvert tous les jours le soir et le midi en semaine.

La Paillote (suite)

TABLE D'HÔTE

Incluant la soupe du jour, deux rouleaux impériaux, café ou thé et dessert.

Poulet ou bœuf xaté (sauce piquante)	10.95
Nid de nouilles frites aux légumes	10.95
Filet de truite aux tomates	11.95
Riz frit aux crevettes, porc et tomates	12.95
Nem Nuong (pâté de porc grillé à l'ail)	12.95
Calmar farci au porc	12.95
Crevette au gingembre	13.95
Cailles au B.B.Q.	14.95
Duo de brochettes de crevettes et poulet	14.95
Côtelettes d'agneau au cari	14.95

PLAQUE CHAUFFANTE « ZIGGLING »

Incluant la soupe du jour, deux rouleaux impériaux, café ou thé et dessert.

Ziggling au poulet, bœuf ou porc	11.95
Ziggling aux crevettes, pétoncles et crabe	15.95

SPÉCIAUX FRUITS DE MER

Incluant la soupe du jour, deux rouleaux impériaux, deux feuilletés aux crevettes, café ou thé et dessert.

Brochettes de fruits de mer	16.95
Fleurs de lotus	18.95
Fleur Nhatrang	19.95

LES ENTRÉES

Vermicelles de poulet	2.95
Nouilles aux crevettes ou au crabe	2.95
Asperges au crabe ou poulet	2.95
Feuilleté aux crevettes et porc	7.95
Salade au poulet	7.95

LES PLATS PRINCIPAUX

Poulet aux ananas	7.95
Poulet à la pousse de bambou	7.95
Poulet ou porc au gingembre	8.95
Saumon frit à l'oignon et aux tomates	8.95
Filet de sole à la sauce au cari	8.95
Nouilles sautées au poulet, bœuf ou porc	8.95
Nouilles sautées aux délices de la mer	11.95

Sadec

Restaurant Rég. de Québec spéc. vietnamiennes
229, rue St-Vallier O., Québec (418) 523-4459
Ouvert lun au ven le midi et lun au dim en soirée.

TABLE D'HÔTE

Incluant soupe du jour, deux rouleaux impériaux, dessert, thé ou café.

Poulet au curry	12.95
Brochette de poulet	13.95
Caille aux cinq épices	13.95
Nouilles aux fruits de mer	13.95
Poulet et crevettes aux légumes	13.95
Cuisses de grenouilles au curry	13.95
Délice au poulet et crevettes	14.95
Délice au bœuf et crevettes	14.95

La Sucrerie Blouin

Érablière Région de Québec
2967, av. Royale, Île d'Orléans (418) 829-2903
Ouvert tous les jours sur réservation pour groupes ou ind.
Visite, tire sur neige et animation pour les groupes.

MENU Adulte14.50
12 ans et moins 7.25

Soupe aux pois, fèves au lard, jambon, pommes de terre, pâtés à la viande, saucisses, oreilles de crisse, œufs dans le sirop, crêpes, pain de ménage.

Thang Long Won Ton

Restaurant Rég. de Qc spéc. viet, chin, thaï, et jap.
869, Côte d'Abraham, Québec (418) 524-0572
Ouvert tous les jours de 17h-23h.

Assiette du jardinier *(pour 1 pers.)* 13.75
Soupe du jour
Rouleaux impériaux ou du printemps
Katim
Assiette de légumes sautées avec tofu, riz ou vermicelle
Dessert, thé ou café

Assiette du chasseur *(pour 1 pers.)* 16.95
Soupe du jour
Rouleaux impériaux ou du printemps
Chakis à la crevette
Assiette de poulet, bœuf et porc avec riz ou vermicelle
Dessert, thé ou café

Le Volcan *(pour 2 pers.)* 34.95
Soupe du jour
Rouleaux impériaux
Chakis à la crevette
Assiette de crevettes, pétoncles, calmar, crabe, poulet et légumes avec riz ou vermicelle
Dessert, thé ou café

Assiette du pêcheur *(pour 2 pers.)* 37.95
Soupe du jour
Rouleaux impériaux ou du printemps
Chakis à la crevette
Assiette de crevettes, pétoncles, calmar et crabe avec riz ou vermicelle
Dessert, thé ou café

LES PLATS DE POULET

Poulet au gingembre sauté aux légumes 8.50
Poulet à la sauce au saté pimentée 8.50
Poulet à la sauce framboise 10.50
Poulet Tao 10.50

LES PLATS DE BŒUF

Bœuf à la sauce aigre-douce 8.50
Bœuf cantonais 8.50

Tokyo

Restaurant Rég. de Québec spéc. japon. et sushi
401, Saint-Jean, Québec (418) 522-7571
Ouvert 7 jours en soirée et midi en semaine.

LES ENTRÉES

Soupe Miso 2.00
Feuilleté à la viande 2.95
Crevettes et légumes Tempura 4.25
Brochette de poulet grillé 4.50

TABLE D'HÔTE

Incluant tsukimono, soupe riz, thé et dessert

Brochette du jour 8.95
Assiette shogun 14.25
Assiette du pêcheur 14.25
Petit sushi *(10 morceaux)* 16.95
Sashimi *(12 morceaux)* 17.95
Sushi pour 2 personnes *(combinaison)* 24.50
Sukiyaki pour 2 personnes 37.50

LES SUSHIS À LA CARTE

Les nigris sushis ou sashimis
Ebi - crevettes 3.90
Sake - saumon 4.00
Ama ebi - crevettes sucrées 4.00
Ikura - Oeufs de saumon 4.00
Maguro - Thon rouge 4.10
Ika - calmar 3.80

Tokyo (suite)

Saba - maquereau	3.60
Same - Requin	3.60
Ma-kajiki - Espadon	3.90
Truite	3.90
Mini-pétoncle	3.90
Marlin	3.90
Bonito japonais	4.00

Les makis sushis ou cornets

Kappa maki (concombre)	3.45
Ma-kajiki maki (espadon, avocat, œufs…)	5.25
Kamikaze (thon épicé, avocat, concombre…)	5.25
Sake maki (saumon, avocat, concombre)	5.25
Tempura maki (crevettes panées, avocat…)	5.25
Sake kinsi maki (saumon fumé, salade)	5.25
California (goberge, avocat, œuf, concombre)	5.25
Saumon fumé	5.25
Esturgeon maki	5.25
Salade de thon maki	5.25

LES REPAS À LA CARTE

Servis avec salade, tsukimono, riz et thé

Porc pané avec œuf et oignons	9.50
Tempura crevettes et légumes panés	9.50
Beignet au saumon	9.50
Poulet teriyaki	9.50
Saumon teriyaki	9.50
Légumes sautés avec poulet	9.50
Tempura spécial	12.25
Tokyo spécial	14.25

LES SOUPES-REPAS

Poulet, bambou, légumes, tofu, nouilles	10.50
Bœuf, légumes, bambou, tofu, nouilles	10.95
Soupe aux fruits de mer, légumes, nouilles	12.95
Soupe sukiyaki (pour 1 personne) :	
Bœuf, champignons, bambou, tofu, nouilles	10.95
(servi avec tsukimono, soupe, riz et thé)	

LES DESSERTS

Beignets aux pommes, banane ou ananas	2.00
Crème glacée au thé vert	2.00
Crème glacée et melon	2.50

Vignoble de Sainte-Pétronille

Vignoble **Région de Québec**

1A, ch du Bout-de-l'ile, Sainte-Pétronille (418) 828-9554
Ouvert à l'année. Visite de mi-juin à mi-octobre.

Vin blanc *Vignoble de Sainte-Pétronille*, vin rosé *Vignoble de Sainte-Pétronille*.

Vignoble Île de Bacchus

Vignoble, gîte, cidrerie **Région de Québec**

1071, ch. Royal, St-Pierre, Île d'Orléans (418) 828-9562
Ouvert de fin mai -fin juin les fins de sem./fin juin à sept tous les jours de 11h-17h.

Vins d'assemblage: *Le 1535*, vin blanc vieilli en fût de chêne; *Le St-Pierre*, vin rouge vieilli en fût de chêne; *Village des Entre-Côtes*, vin rouge vieilli en fût de chêne.

Québec, vue de Lévis.

Le Fjord du Saguenay.

Saguenay Lac-Saint-Jean

Restaurants :

- Chez Camilia
- Don Greco
- Le Privilège

Table :

- La Table Charentaise

Gîtes :

- La Maison du Séminaire
- La Maraîchère du Saguenay

****

Fromagerie :

- Fromagerie La Petite Heidi

Boulangerie :

- Café de la Poste

Café de la Poste

Boulangerie et autres délices **Saguenay**
169, rue du Quai, Ste-Rose-du-Nord (418) 675-1053
Ouvert de la mi-mai à la mi-oct, tous les jours de 9h-23h.

Pains baguette, miches, fesses, pains polonais, croissants réguliers, croissants à la pâte d'amande, chocolatines, etc.

Saucisses de caribou royal, saucisses de sangliers aux bleuets et guiche au fromage de chèvre La Petite Heidi.

Chez Camilia

Restaurant **Saguenay** **spéc. vietnam.**
1305, boul. Saguenay Ouest, Chicoutimi (418) 696-2009
Ouvert en soirée du mer au dim, sur réservation.

TABLE D'HÔTE 14.00-30.00
Choix d'entrées
Choix de plats principaux
Choix de desserts
Café ou thé

Fromagerie La Petite Heidi

Fromagerie **Saguenay** **from. de chèvres**
504, boul. Tadoussac, Ste-Rose-du-Nord (418)675-2537
Ouvert toute l'année tous les jours de 9h-19h.

Fromages de chèvre: *Le Ste-Rose lavé au vin*; *Rosé du Saguenay*, tomme ; *Le Ste-Rose* (nature, ciboulette, épices ou chocolat), tartinade; *Le Ste-Rose en grains.*

Don Greco

Restaurant **Lac-St-Jean** **spéc. grec. et ital.**
55, Dequen Nord, Alma (418) 480-2482
Ouvert lun-vend, midis et soirées/Sam-dim de 16h-23h.

TABLE D'HÔTE
Servie avec soupe, thé ou café et dessert

Choix d'entrée

Bâtonnets de fromage	2.75
Escargots bourguignons	3.75
Coquille St-Jacques	7.95
Cocktail de crevettes	7.95

Choix de plats principaux

Escalope de poulet gratinée	14.95
Assiette de deux souvlakis au poulet	15.95
Brochette de poulet	15.95
Assiette grecque	16.95
Brochette combinée	16.95
Filet de poulet et quatre crevettes papillons	17.95
Brochette de filet mignon	19.95
Surf filet mignon et six cuisses de grenouille	19.95
Contre-filet de bœuf	19.95
Surf filet mignon et six crevettes papillons	22.95
Surf filet mignon et quatre langoustines	22.95
Filet mignon, langoustines et crevettes papillons	25.95

La Maison du Séminaire

Gîte **Saguenay**
285, rue du Séminaire, Chicoutimi (418)543-4724
Ouvert à l'année sur réservation.

Les logeurs peuvent préparer leur repas à la cuisinette et bénéficier d'un accès à la salle à manger. Il est possible d'y apporter son vin.

La Maraîchère du Saguenay

Gîte et souper pour logeurs Saguenay spéc. rég.
2, rang St-Joseph, St-Fulgence (418) 674-9384
Soupers du mer-sam pour les logeurs sur réservation.

CHOIX DE MENU 20.00-25.00

Soupe aux pois
Soupe aux légumes
Soupe aux gourganes

Poulet à la bière
Jambon au sirop d'érable
Ragoût de pattes de porc
Ragoût de boulettes
Rôti de porc avec patates jaunes
Tourtière du Lac St-Jean

Tarte aux pommes et érable
Pouding chômeur
Glace à l'érable
Tarde à la rhubarbe
Cachette aux fruits frais

Activités possibles sur le site:

- Vélo de montagne
- Kayak de mer
- Chasse et pêche
- Circuit de trappe écologique
- Canot
- Rafting
- Circuits de motoneige
- Chiens de traîneaux
- Ski de fond

Cette ferme vous offre le calme de la campagne, la beauté du fjord, un contact étroit avec la nature, le tout dans une ambiance délicieuse. Une réponse en soit à vos besoins d'évasion et de quiétude.

Le Privilège

Restaurant **Saguenay** **spéc. françaises**
1623, boul. St-Jean-Baptiste, Chicoutimi (418)698-6262
Ouvert les soirs sur réservation.

LE MENU DÉGUSTATION 53.50

Mise en bouche
Poire farcie à la mousse de ris de veau, mayonnaise à l'orange
Sauté de rognons de lapereau sur risotto au parmesan
Consommé aux poireaux et à la betterave
Médaillons de cerf à la tombée de fenouil à l'oignon
Assiette de fromages fins
Délice de votre choix
Café ou thé

LES PLATS PRINCIPAUX À LA CARTE

Pavé de saumon sur ses épinards au citron confit 23.50
Salmis de pintade aux choux de Bruxelles et figues 24.75
Tournedos d'agneau, haricots rouges et tomates 25.50
Filet de porcelet et brioche de pétoncles 26.00
Magret de canard aux épices et abricots 27.50
Tournedos de veau au proscuitto et au parmesan 29.00

La Table Charentaise

Table **Saguenay** **spéc. régionales**
1849, boul. Ste-Geneviève, Chicoutimi (418) 693-1496
Ouvert sur réservation.

TABLE D'HÔTE 31.50
Entrée de médaillons de pâtes, sauce au basilic
Potage florentin et tomates
Salade

Choix de plats principaux
Brochette d'agneau aux fines herbes et courgettes
Noisettes de veau, sauce au vin blanc et champignons
Pavé de saumon, salsa de mangue et poivron rouge

Fromages 5.95

Dessert au choix du chef
Café, thé ou tisane

Affiches:

Jack Kerouac, Félix Leclerc (2 modèles), Nelligan avec le poème «Le Vaisseau d'Or», Le Vaisseau d'Or, Colette, René Lévesque (2 mod.), Boris Vian, Arthur Rimbaud, Sarah Bernhard, etc.

Les affiches culturelles de Touriscom sont disponibles aux adresses suivantes:

À l'Affiche: 4415, rue St-Denis (coin Mont-Royal), Montréal, (514) 845-5723.

La Coopérative de L'Université Laval: Pavillon Maurice-Pollack, boul. Laurier, Ste-Foy, Québec, (418) 656-2600.

La Coopérative Universitaire de Trois-Rivières: Pavillon Albert-Tessier, 3351, boul. des Forges, Trois-Rivières, (819) 271-1266.

Crédits photographiques

La plupart des photographies ont été réalisées par Richard de Bessonet. Certaines photos ont été proposées par les établissements eux-mêmes, en voici la liste.

Abitibi: Le Domaine des Ducs, Meule et Caquelon, La Table Enchantée.

Cantons-de-l'Est: Le Bocage.

Charlevoix: À la Chouette, Fumoir Charlevoix, Verger Pedneault.

Côte-Nord: Sépaq Anticosti.

Gaspésie: Auberge du Château Bahia, La Clé des Champs, Auberge Les Deux Îlôts.

Île de la Madeleine: Au quai de l'Anse, Fromagerie Pied-de-Vent.

Laurentides: Au Pied de la Chute, Chez Francine et Gilbert Éthier, Les Rondins, La 5e Saison.

Mauricie: Le St-Antoine.

Montérégie: Alyce.

Montréal: Chez Ennio.

Outaouais: Aux Deux Lucarnes, Domaine Lac Castor Blanc, La Ferme du Terroir, La Pointe à David, La Villa Basque.

Index des établissements offrant le soutien à l'immersion linguistique si désirée

Français:

Français et anglais:

Italien et hongrois:

Anglais:

Allemand:

Index par région

RESTAURANTS

Index par région (suite)

RESTAURANTS (SUITE)

Index par région (suite)

RESTAURANTS (SUITE)

Index par région (suite)

RESTAURANTS (SUITE)

Index par région (suite)

RESTAURANTS (SUITE)

TABLES

Index par région (suite)

TABLES (SUITE)

GÎTES, AUBERGES, CHALETS, RÉSIDENCES DE TOURISME ET RELAIS DU TERROIR

GÎTES, AUBERGES, CHALETS, RÉSIDENCES DE TOURISME ET RELAIS DU TERROIR (SUITE)

Index par région (suite)

CABANES À SUCRE ET ÉRABLIÈRES

TRAITEURS

PÊCHE-AVENTURE

POURVOIRIES

POURVOIRIE (SUITE)

NORD DU QUÉBEC-BAIE JAMES (SUITE)

LES CHEMINS DU TERROIR

BOULANGERIES

Index par région (suite)

BOULANGERIES (SUITE)

CHOCOLATERIE

CIDRERIES

CIDRERIES (SUITE)

FERME BRASSERIE

FERMES D'ÉLEVAGE

FERME DE PETITS FRUITS

Index par région (suite)

FROMAGERIES

Index par région (suite)

Index par région (suite)

POMMERAIE

PRODUITS DE LA SÈVE D'ÉRABLE

VIGNOBLES

Index par région (suite)

VIGNOBLES (SUITE)

MONTÉRÉGIE

RÉGION DE QUÉBEC

PRODUCTEUR DE VINS DE CASSIS

RÉGION DE QUÉBEC

Index des spécialités

Afghanes

Asiatiques (camb. thai., viet.)

Basques

Belges

Berbères et maghrébines

Brésiliennes

Cabanes à sucre

Index des spécialités (suite)

Cambodgiennes

Canadiennes traditionnelles

Françaises

Françaises (suite)

Index des spécialités (suite)

Françaises (suite)

Fondues

Index des spécialités (suite)

Fruits de mer

Gibier

Grecques

Index des spécialités (suite)

Grecques (suite)

Grillades

Ile de la Réunion

Italiennes

Index des spécialités (suite)

Italiennes (suite)

Japonaises

Laotienes

LIbanaises

Lousianaises (Cajun)

Marocaines

Index des spécialités (suite)

Mexicaines

Méchoui

Péruviennes

Poissons

Provençales

Régionales/Québécoises

Index des spécialités (suite)

Régionales/Québécoises(suite)

Rôtisserie

Index des spécialités (suite)

Suisses

Thaïlandaises

Végétariennes

Vietnamiennes

Index des spécialités (suite)

Vietnamiennes (suite)

Québec, Canada
2001